W9-CUP-993

Peanuts

Collection dirigée par Lidia Breda

Du même auteur
dans la même collection

Charles M. Schulz

Peanuts

Préface de Luigi Codazzi

Traduit de l'anglais (États-Unis)
par Frank Reichert

Rivages poche
Petite Bibliothèque

Couverture : D. R.

© United Feature Syndicate, Inc.
© 2001, R.C.S. Libri Spa, Milan
pour la préface de Luigi Codazzi
© 2003, Éditions Payot & Rivages
pour la traduction française
106, bd Saint-Germain – 75006 Paris

ISBN : 2-7436-1148-0
ISSN : 1158-5609

Préface

Charles Monroe Schulz naît à St. Paul, dans l'État américain du Minnesota, le 26 novembre 1922. Il n'a que deux jours et déjà son oncle le surnomme «Sparky» en pensant à Spartplug, le cheval de Barney Google, le célèbre héros de bande dessinée.

Fils de deux émigrants allemands, Carl et Dena, le petit Charles vit les années difficiles de la Grande Dépression à St. Paul, un havre de tranquillité, amoureusement protégé par son père qui est barbier. Ce dernier encourage son fils à lire les bandes dessinées des suppléments des journaux du dimanche. Ce genre littéraire est très apprécié chez les Schulz : Carl n'est pas le seul, Dena aussi adore les bandes dessinées.

Chaque samedi, Carl Schulz achète les deux journaux dominicaux de Minneapolis et le lendemain ceux de St. Paul. Ainsi, tous les dimanches, la famille Schulz a à sa disposition au moins quatre suppléments. À l'école, Sparky montre dès son plus jeune âge une certaine aptitude pour le dessin et l'une de ses enseignantes l'encourage à cultiver ce don.

Sa carrière commence en 1937 avec la publication de l'un de ses dessins, son chien Spike, dans *Believe it or not,* de l'éditeur Ripley.

En 1940, ses parents l'inscrivent au cours par correspondance de la *Federal School of Art*, bien que l'école ne soit qu'à une centaine de mètres de chez eux. Le jeune Charles n'a en effet nullement l'intention de s'enfermer dans une salle de classe. Sa mère Dena, particulièrement convaincue de ses qualités artistiques, l'incite à poursuivre dans cette voie.

En 1943, il obtient son diplôme. Cette année-là, sa vie sera complètement bouleversée par deux événements : il est appelé sous les drapeaux et, peu de temps avant son transfert en Europe, sa mère meurt des suites d'une tumeur.

Très rapidement, il accède au grade de lieutenant. Les dessins dont il agrémente les lettres que ses compagnons adressent à leur famille le rendent populaire. Schulz suit le même parcours artistique que Walt Disney, devenu célèbre juste après la Première Guerre mondiale grâce à ses dessins sur les ambulances.

Par chance, son régiment n'a pas à combattre directement sur le front. Ce n'est qu'en 1945, à quatre jours de la fin de la guerre, que la 20e division armée à laquelle il appartient rencontrera l'ennemi.

De retour chez lui, il décide de ne pas travailler avec son père, mais de tenter sa chance dans l'édition. Il est engagé par le *Timeless Topix,* une maison d'édition catholique spécialisée dans les bandes dessinées ; il commence par y réaliser les lettrages des dialogues en trois langues : anglais, français et espagnol. Peu de temps après, en 1947, il travaille pour l'*Art Instruction School*, l'ancienne *Federal School of Art*. Son rôle consiste à corriger les épreuves envoyées par les étudiants.

Entre-temps, il adresse au *St. Paul Pioneer Press*, le principal quotidien de la ville, sa bande dessinée intitulée *Li'l Folks*.

Il s'agit de planches dont les histoires ont chacune une fin et dont les héros sont un groupe de tout petits enfants que Schulz dessine en déformant les proportions : leurs têtes sont aussi grandes que leurs corps, ce qui les rend encore plus petits et gracieux.

La série, publiée dans le supplément du dimanche, paraît pendant plus de deux ans. C'est à cette époque que le jeune Charles tombe amoureux de Donna Wold, une jeune fille aux cheveux roux qui travaille à la comptabilité de l'école. Cet amour non partagé laissera une trace indélébile dans l'histoire de la bande dessinée. Totalement absorbé par son travail, Schulz commence à adresser des copies de ses dessins à plusieurs quotidiens et journaux nationaux. En 1948, il parvient à vendre quelques bandes de *Li'l Folks* au *Saturday Evening Post*.

Des amis lui conseillent alors de proposer son travail aux agences éditoriales, jusqu'au jour où il est invité par le très puissant *United Feature Syndicate* à se rendre à New York pour un colloque.

L'*United Feature Syndicate* veut publier *Li'l Folks*, mais estime que le format à panneaux ne convient pas au standard des quotidiens nationaux. Ces derniers, à la différence des journaux locaux, réservent depuis toujours des emplacements bien définis, préétablis et invariables pour les bandes dessinées afin de ne pas déborder sur les espaces consacrés aux insertions publicitaires.

L'agence propose donc à l'auteur de modifier le format pour l'adapter à celui du comic-strip classique. Après avoir hésité longuement, et sur le conseil de son ami Morton Walker, le créateur de *Beetle Bailey*, très connue à l'époque, Schulz décide d'accepter la requête de l'*UFS*. Le 2 octobre 1950 paraît la première bande des *Peanuts*, littéralement « cacahuètes », « choses insignifiantes ». On trouve désormais également dans les dictionnaires américains le sens de « petits personnages », c'est-à-dire les héros de Schulz.

Dans sa première apparition, Charlie Brown est appelé le bon vieux Charlie Brown, ce qu'un enfant ne peut supporter. On comprend aussitôt qu'il y a plusieurs niveaux de compréhension et qu'on ne peut pas se borner à la simple lecture du texte.

Il faudra un certain temps aux lecteurs pour se rendre compte que Charlie Brown a mérité ce surnom grâce à son honnêteté, son altruisme et à son sens des responsabilités. Ce que les autres enfants n'acceptent pas toujours et pas seulement par jalousie.

L'*UFS* vend la nouvelle série à sept quotidiens au moins et oblige Schulz à accepter le changement de nom de la série. Pour eux, le nom de *Li'l Folks* ressemble trop à *Little Folks* de Tack Knight et en outre, phonétiquement, à *Li'l Abner*, le mythique personnage de Al Capp. On raconte que ce fut Bill Anderson, l'un des managers de l'*UFS,* qui suggéra le nom de «Peanuts», sans avoir jeté un seul regard aux nombreuses épreuves présentées par Schulz…

La polémique qui oppose l'agence à l'auteur est bien connue dans l'histoire de la bande dessinée. Schulz affirmera : «*Peanuts* est le plus mauvais des titres pour une bande dessinée. Il n'y a aucun rapport ; il ne signifie rien du tout ! Le public n'appelle pas mes personnages de cette façon et il ne s'identifie pas avec ce nom… Même le mot ne me plaît pas. Il n'est pas beau, il est complètement ridicule, n'a pas de sens, il prête à confusion, n'a aucune dignité. Je pense que mon humour a de la dignité… Ils ignorent la passion que je mets dans mon travail.» Quelques années plus tard, il aurait ajouté : «Appeler ce qui devait devenir le travail de toute une vie du nom de *Peanuts* fut vraiment une insulte.»

Bref, on a une idée du climat créé entre les dirigeants de l'*UFS* et celui qui deviendra leur auteur le plus célèbre. Le lancement coïncide avec une nouvelle stratégie marketing de l'agence. Les quotidiens ayant commencé à réduire l'espace consacré à la BD, l'*United* croit bon d'anticiper en réduisant au maximum la taille des bandes. Le format imposé prévoit quatre cases identiques qui permettent leur publication en bande horizontale, verticale, ou en carré.

Dans sa campagne publicitaire, l'histoire est présentée comme « La plus grande petite sensation depuis les temps de Tim Thumble », et de cette façon, le nom de *Peanuts*, au sens de « Petit », était parfait pour le jeu de mots. Schulz, toujours en désaccord avec ce choix, déclare dans une interview : « Le nom est insignifiant, sans couleur. »

Le succès des *Peanuts* n'est pas immédiat. Il faut attendre deux ans pour que les journaux-clients commencent à augmenter régulièrement leur tirage. En 1951, Schulz, ayant oublié la jeune fille aux cheveux roux, épouse Joyce Halverson, au moment même où son père s'unit à Annabelle. Pour la petite histoire, Donna, son ancienne flamme, venait de se marier avec un sapeur-pompier. En 1952, l'*UFS* décide le lancement de la planche dominicale et, la même année, l'éditeur Holt publie le premier livre qui rassemble les bandes parues dans les quotidiens. Curieusement, Schulz, quand il en a l'occasion, intitule ses bandes dominicales *Good ol' Charlie Brown* pour mettre en évidence le héros de la série.

À la recherche d'un meilleur climat qui favorisera la création des strips quotidiens, la famille

Schulz déménage à Colorado Springs et, quelques années plus tard, à Santa Rosa, en Californie. La critique n'est pas longue à reconnaître les qualités des *Peanuts* et, dès 1955, la *National Cartoonist Society* attribue à Charles Schulz le Prix Reuben, considéré comme l'Oscar de la bande dessinée. Schulz recevra à nouveau ce prix en 1964.

En 1958, Schulz introduit une grande nouveauté : Snoopy, le petit beagle de Charlie Brown, apparu peu après son jeune maître, est capable de marcher sur deux pattes. Devenu plus humain, il occupera bien vite la première place dans le cœur des lecteurs. Les années cinquante furent extraordinaires d'un point de vue créatif : Lucy, Schroeder, Linus, Woodstock, Peppermint Patty… Chaque nouveau personnage semble vivre de façon autonome.

En 1962, en partie pour diversifier son activité et également pour faire connaître ses propres idées à son public, Schulz publie un livre d'aphorismes qui devient immédiatement un best-seller : *Happiness is a Warm Puppy*. La consécration définitive survient le 9 avril 1965, lorsque le prestigieux hebdomadaire *Time* lui octroie la première page et une interview qui fera date.

Aux États-Unis, les productions liées aux *Peanuts* se multiplient : en 1967, on réalise *A Charlie Brown Christmas*, le premier téléfilm consacré à la série et qui reçoit les prix Emmy et Peabody. La même année, à Broadway, les Peanuts sont les personnages d'une comédie musicale : *You are a Good Man, Charlie Brown*.

Les années soixante-dix commencent de manière traumatisante pour Schulz : en 1972, après vingt et un ans de mariage et cinq enfants (Monte, Craig, Meredith, Amy et Jill), il divorce de Joyce et se marie avec Jeannie Forsythe, qui restera sa compagne jusqu'à la fin de ses jours. Il sera consacré en 1978 dessinateur de l'année par Le Pavillon international de l'Humour de Montréal pour son infatigable activité créatrice. Les années quatre-vingts l'entraînent dans un projet similaire à celui de Walt Disney à la fin de sa carrière : l'ouverture d'un parc d'attractions pour recréer de manière vivante ses personnages.

Bien que de dimensions plus réduites que les gigantesques parcs Walt Disney, le rêve devient réalité en 1983 avec l'inauguration à Buena Park, en Californie, du parc Snoopy, premier parc d'attractions inspiré des *Peanuts*.

Les années quatre-vingt-dix ne sont qu'une succession de célébrations du maître américain : en 1990, il est honoré du titre de chevalier des Arts et des Lettres par le ministre français de la Culture qui qualifie les *Peanuts* de « patrimoine de l'humanité » ; en 1992, le ministre de la Culture italien lui confère l'ordre du Mérite et, en mai 2000, il aurait dû recevoir le prix Milton Caniff Lifetime au cours de la remise des prix Reuben. Le prix lui fut décerné de manière posthume puisqu'il est décédé le 13 février 2000, quelques heures seulement avant la parution de la dernière page du dimanche des *Peanuts*, à l'occasion de la Saint-Valentin.

Atteint d'une tumeur au colon, malheureusement détectée trop tard, et souffrant de légers malaises cardiaques, Schulz, il l'avoue lui-même, n'a plus l'énergie pour produire les histoires dans les temps requis. Dans sa dernière interview accordée au show de télévision Today, il déclare : « Je n'avais jamais pensé que cela pouvait m'arriver. J'ai toujours cru que je pourrais certainement dessiner jusqu'à quatre-vingts ans et plus. Et pourtant c'est arrivé. Ça ne dépend pas de moi. C'est incroyable, ce que je produis plaît à tout le monde. Je n'ai fait que de mon mieux. J'ai toujours désiré être un dessinateur humoristique et je peux seulement dire que j'y suis parvenu pendant plus de cinquante ans. »

Nous gardons un témoignage extraordinaire de Art Spiegelman : « Je ne pense pas que Charles ait écrit le dernier acte pour mourir en même temps que ses personnages. Nous avons bavardé tous les deux, samedi dernier, le jour de sa disparition ; il m'a donné l'impression d'un homme qui lutte consciemment pour enrayer la tumeur. Mais malheureusement son inconscient, la source de toutes ses histoires, avait jeté l'éponge. »

Schulz a consacré un demi-siècle de carrière professionnelle, pratiquement toute sa vie, aux *Peanuts*. La décision de faire mourir ses personnages avec lui fut parfois contestée. Des critiques reconnus ont fait l'éloge de son choix, ils considéraient très courageux de vouloir sauvegarder ses personnages de l'agression de l'industrie éditoriale, qui aurait pu aisément tirer d'énormes profits des *Peanuts*. Schulz aurait donc fait un choix poétique hors de toute logique commerciale.

Par contre, selon d'autres critiques, les personnages, lorsqu'ils atteignent un certain degré de notoriété, n'appartiennent plus à leur créateur mais au monde entier et ils doivent donc continuer à vivre même après la disparition de leur «père». L'histoire de la littérature enseigne, et ceci est valable aussi pour la bande dessinée, que l'univers narratif original est souvent profondément dénaturé.

Sans nul doute, la logique de l'auteur qui fait mourir ses propres personnages pour ne pas les céder est complètement fausse. Si Walt Disney n'avait pas laissé la liberté créatrice à ses collaborateurs, nous n'aurions jamais connu le *Mickey* de Gottfredson et les *Donald* de Barks et de Don Rosa ; si Stan Lee avait continué à écrire son *Spider Man*, nous n'aurions jamais pu lire les sagas de Dematteis, Michelinie et Byrne.

La bande dessinée et les dessins animés sont depuis toujours le fruit d'un travail d'équipe. S'il en était autrement, nous n'aurions jamais vu à la télévision les très célèbres séries *Lupin III*, les *Simpsons* ou *Gundam*. Les *Peanuts* ne mourront certainement pas avec leur créateur, car l'*United Feature Syndicate* ne le permettra pas. Surtout, il existe plus de 20 000 bandes et planches dominicales, plus d'un demi-siècle de travail, qui seront rééditées en permanence afin que leur lecture soit sans cesse retransmise de père en fils.

Bien que Schulz ait souvent affirmé que le héros de la série était le « bon vieux Charlie Brown », l'un des principaux traits marquants des *Peanuts* est l'homogénéité des personnages. Le véritable protagoniste de ces bandes dessinées est le monde de la ville imaginaire dans laquelle vivent ces enfants.

La ville des *Peanuts*, tout comme la ferme des *McKenzie*, est en fin de compte à l'image de notre société, où l'on s'efforce de vivre le mieux possible. Et ces mondes sont perçus comme le terrain le mieux adapté pour la satire politique, sociale et économique de notre société. Plus spécifiquement avec les *Peanuts*, mais aussi avec *Mafalda* de Quino ou l'*Alan Ford* de Bunker, la satire agit par la bouche de chaque personnage, qu'il soit un héros ou un antihéros, alors que c'est toute la vie de la ferme *McKenzie* qui prête sa voix aux attaques de Silver.

Schulz a influencé la façon de dessiner les bandes quotidiennes. Il a travaillé un trait graphique original et très stylisé, facilement identifiable et qui, au début, pouvait sembler enfantin mais, avec le succès, a servi à mettre en évidence l'habile synthèse narrative que le maître de St. Paul avait atteinte.

Pendant cinquante ans, il a dessiné des comic-strips en faisant appel à très peu de collaborateurs, en essayant de tout faire tout seul, même le passage à l'encre et le lettrage.

La totalité du travail était réalisée très méthodiquement.

Il partait d'un thème, et s'il ne le trouvait pas, il allait le puiser dans un petit carnet très secret plein d'idées graphiques, de mini-scénarios et de croquis, et il se livrait ensuite à une division rigoureuse en quatre vignettes. À partir de là, il pensait au texte et à l'espace nécessaires dans la vignette. Le dessin était toujours réalisé au crayon, une légère esquisse pour faciliter le passage à l'encre (avec la légendaire plume *Esterbook n° 914*), suivi de la date et de sa signature. L'*UFS* y ajoutait le copyright.

Schulz se plaisait à rappeler que nombre d'idées amusantes provenaient de l'actualité, de la simple lecture des journaux, des incidents insignifiants de tous les jours. Il estimait que c'était là un trait innovateur de son travail : « J'ai introduit le petit événement. Je me souviens du moment où je créais cet expédient assis à mon bureau, ce qui devait se passer dans les trois cases était un événement très petit et bref. Avant moi, personne n'avait fait ça dans les bandes dessinées. J'ai volontairement abandonné la logique du : " Que faisons-nous aujourd'hui ? " J'ai changé tout ça. » Après des années de travail, Schulz lui-même se demandait encore ce que les gens pouvaient bien trouver dans ses histoires journalières. Dans une sorte de décalogue du succès, il a défini les trouvailles, devenues de véritables lieux communs de la vie de tous les jours, qui selon lui avaient touché l'imagination des lecteurs.

Le doudou de Linus peut-être le plus célèbre. Une sorte de bouclier contre le monde que nous voudrions tous avoir.

La musique que Schroeder est capable de susciter avec son piano-jouet, avec toujours l'immortel Beethoven en toile de fond.

L'arbre mangeur de cerfs-volants qui rend inutiles toutes les tentatives du pauvre Charlie Brown de faire voler le sien tout neuf et très beau.

Le cabinet psychiatrique à ciel ouvert de Lucy, avec un panneau indiquant si le docteur est là *(The Doctor is In)* ou non *(The Doctor is Out)*. Quand il est là, elle est toujours prête à dispenser ses conseils pragmatiques et impitoyables.

Snoopy et sa niche. Qu'un petit beagle puisse devenir un écrivain à succès, un héros de la Première Guerre mondiale et un champion de base-ball, a toujours été un mystère. Snoopy a certainement une grande imagination et d'ailleurs il n'y a que lui qui puisse commencer pour la énième fois son roman «infini» avec: «Il était une fois un peureux chevalier…»

La recherche de la Grande Citrouille, divinité laïque qui ravive chaque année chez Linus sa vocation spirituelle.

La jeune fille aux cheveux roux que les lecteurs ont vue une seule fois dans les années cinquante; et pourtant, chaque fois que Charlie Brown sou-

19

pire pour cet amour sans espoir, ils tremblent pour le petit héros à la «bouille coincée».

Les parties de base-ball que Charlie Brown perd toujours et celles de football. Notamment la typique scène initiale où Lucy réussit à convaincre le bon vieux Charlie Brown de shooter dans le ballon qu'elle tient posé sur le sol et qu'elle subtilise au dernier moment. Cette scène est devenue un grand classique, reproduite une infinité de fois dans les stades américains.

Le sociologue américain Omar Calabrese a écrit qu'il est intéressant de remarquer le renversement des valeurs, des comportements et même des choix esthétiques parus dans le monde de la bande dessinée. À la télévision, les *Peanuts* ont été «enterrés» depuis des années déjà; pourtant, la version bandes dessinées continue de rencontrer un succès extraordinaire auprès du public. Aujourd'hui, les dessins animés à la mode sont différents: les séries japonaises mais aussi les *Simpsons* et *South Park*, deux séries américaines qui ont beaucoup fait parler d'elles.

Ces deux dernières, qui ont pour héros des enfants, présentent les vicissitudes des familles américaines de la petite et moyenne bourgeoisie, avec ses misères quotidiennes, ses spécificités et son racisme. À première vue, elles apparaissent «antiéducatives» et à des années-lumière d'un certain modèle d'animation rendu populaire par Walt Disney. Et pourtant, elles ont intéressé des millions de personnes, fait réfléchir sur certaines valeurs et, enfin, elles ont apporté quelques nou-veautés, au risque de sacrifier l'image et d'en réduire au maximum son contenu.

Au vu de cette modernité, il ne faut pas oublier la grande leçon des *Peanuts*. Schulz, à sa façon, a été un grand provocateur, bien plus qu'on ne l'imagine. Par l'intermédiaire d'une société d'enfants, il a révélé à tous les frustrations du riche Occident dans une phase particulière de son histoire : le néocapitalisme.

Il a mis en évidence les malaises des adultes, même lorsqu'ils s'identifient aux enfants. Et il a su le faire avec sarcasme et ironie. Rappelons com-bien de « férocité » il y a dans les angoisses de Linus qui ne peut pas vivre sans son doudou, de Charlie Brown qui ne réussit jamais à gagner au base-ball, de Lucy qui échoue dans ses tentatives pour se faire remarquer par Schroeder, et de tous les autres personnages qui à tour de rôle, pour 5 ou 10 *cents*, passent se faire analyser chez elle. Sans aucun doute, les *Peanuts* nous permettent de mieux comprendre le monde de la grande comédie améri-caine, de Buster Keaton à Woody Allen, et peut-être Schulz a-t-il su se faire le porte-parole d'une génération devenue adulte trop rapidement…

Luigi CODAZZI
(traduit de l'italien par Anne Frognier)

PEANUTS

by

CHARLES M. SCHULZ

Les années cinquante

PEANUTS

JE VAIS PASSER QUELQUES NUITS CHEZ MA GRAND-MÈRE.

C.B.

COMMENT ÇA SE FAIT, CHARLIE BROWN ?

MA MÈRE A ÉTÉ TRANSPORTÉE À L'HÔPITAL HIER SOIR...

C.B.

MON PAPA DIT QU'ELLE VA BIEN... EN FAIT, ELLE DOIT RENTRER DANS CINQ JOURS...

5-25

CINQ JOURS ? JE ME DEMANDE... TU CROIS QUE... JE ME DEMANDE SI... NON... IMPOSSIBLE... POURTANT...

SCHULZ

PEANUTS

UNE PETITE SŒUR ?

JE SUIS PAPA !

EUH... MON PAPA EST PAPA, JE VEUX DIRE ! JE SUIS FRÈRE ! J'AI UNE PETITE SŒUR ! JE SUIS FRÈRE !

TU N'AS PAS FAIT TOUT CE CIRQUE À MA NAISSANCE !

5-26

SCHULZ

25

AINSI, CHARLIE BROWN A EU UNE PETITE SŒUR HIER SOIR !

SEIGNEUR ! QUELLE EFFERVESCENCE IL Y A EU VERS MINUIT... DES GENS QUI COURAIENT PARTOUT...

... DES VOITURES QUI S'ARRÊTAIENT, DES TÉLÉPHONES QUI SONNAIENT... ÇA NE S'EST TOUJOURS PAS CALMÉ...

5-27

SCHULZ

ET, DANS TOUTE CETTE EXCITATION, PERSONNE N'A SONGÉ À NOURRIR LE CHIEN !

ALORS, COMME ÇA, TU AS UNE NOUVELLE PETITE SŒUR, CHARLIE BROWN ?

OUI ! ET JE NAGE DANS LE BONHEUR...

LE BONHEUR ?

5-28

AURAIS-TU OUBLIÉ LE GRAVE PROBLÈME QUE POSE LA SURPOPULATION ? !

SCHULZ

JE CROIS QUE LA PETITE SŒUR DE CHARLIE BROWN EST RENTRÉE À LA MAISON HIER...

J'AIMERAIS BIEN ALLER LA VOIR...

... MAIS JE FERAIS PEUT-ÊTRE MIEUX DE NE PAS...

JE VAIS ATTENDRE QUELQUES JOURS QUE SES YEUX S'OUVRENT !

5-29

EH, VENEZ !

CHARLIE BROWN A UNE PETITE SŒUR ! IL DISTRIBUE DES CIGARES EN CHOCOLAT !

FÉLICITATIONS, CHARLIE BROWN !

MERCI, COCHONNET !

5-30

PAS MAL... ÇA DEVRAIT ARRIVER PLUS SOUVENT !

27

PEANUTS

AINSI, CHARLIE BROWN VIENT ENFIN D'AVOIR UNE PETITE SŒUR ?

PFFIU ! CHEZ NOUS, IL N'ARRIVE JAMAIS DE BÉBÉS.

CHEZ NOUS NON PLUS... ON N'A PAS EU DE NOUVEAU BÉBÉ DEPUIS TRÈS LONGTEMPS !

IL NE NOUS RESTE QUE CE VIEUX BÉBÉ !

6-1

PEANUTS

ILS ONT ENFIN TROUVÉ UN NOM POUR TA PETITE SŒUR, CHARLIE BROWN ?

OUI ! ELLE VA S'APPELER SALLY !

SALLY !

SALLY... SALLY BROWN... CETTE BONNE VIEILLE SALLY BROWN !

6-2

PAS MAL !

SCHULZ

28

PEANUTS

TA SŒUR EST NÉE À L'ACE MEMORIAL HOSPITAL, CHARLIE BROWN ?

NON, JE NE CROIS PAS... POURQUOI ?

DOMMAGE...

SI ELLE Y ÉTAIT NÉE, ON LUI AURAIT FAIT CADEAU DES NEUF SYMPHONIES DE BEETHOVEN !

6/3

SCHULZ

PEANUTS

ALORS, CHARLIE BROWN ? ES-TU LE MOINS DU MONDE JALOUX DE TA PETITE SŒUR ?

OH, NON... ELLE EST VRAIMENT AU POIL.

6-4

PAS LA PLUS PETITE MORSURE DE JALOUSIE ?

NON. PAS LA MOINDRE...

TU ME RENDRAS DINGUE !

SCHULZ

29

PEANUTS JE NE PENSE PAS QU'IL SOIT BON DE METTRE AU MONDE DE NOUVEAUX BÉBÉS PAR LES TEMPS QUI COURENT... LE MOMENT EST MAL CHOISI !

QUE VA-T-ON FAIRE DE TOUS CES BÉBÉS QUI FONT LA QUEUE POUR VOIR LE JOUR ?

ON NE PEUT PAS SE CONTENTER DE LEUR DIRE D'ATTENDRE ENCORE UN MILLÉNAIRE, PAS VRAI ?

NON ! IL FAUT CROIRE QUE NON...

6-5

LE PROBLÈME AVEC TOI, C'EST QUE TU NE RÉFLÉCHIS JAMAIS AUX CONSÉQUENCES !

PEANUTS TU SAIS QUOI, SNOOPY ? C'EST PLUTÔT CHOUETTE D'AVOIR UNE PETITE SŒUR...

JE NE ME SENTIRAI PLUS JAMAIS AUSSI SEUL...

J'ESPÈRE QU'IL A RAISON... JE N'AI JAMAIS EU DE FRÈRES ET SŒURS.

J'ÉTAIS CHIOT UNIQUE !

6-6

SCHULZ

30

31

BEETHOVEN ADORAIT FAIRE DE LONGUES PROMENADES DANS LA CAMPAGNE...

LES SONS SUBLIMES QU'ON PEUT Y ENTENDRE L'INSPIRAIENT...

REVIENS ICI AVEC CETTE BALLE, ESPÈCE DE CRÉTIN !!

7-7

BEETHOVEN SE LA COULAIT DOUCE !

SCHULZ

QUAND JE SERAI GRAND, JE DEVIENDRAI UN GRAND PHILANTHROPE !

IL FAUT BEAUCOUP D'ARGENT POUR DEVENIR UN GRAND PHILANTHROPE...

JE DEVIENDRAI UN GRAND PHILANTHROPE AVEC L'ARGENT DES AUTRES !

8-1

SCHULZ

VLAM!

9-14

SCHULZ

DANS L'ANCIEN TEMPS, ON APPELAIT ÇA RAMENER LE GUERRIER CHEZ LUI SUR SON BOUCLIER !

UNE FOIS QUE TON CERF-VOLANT EST EN L'AIR, CHARLIE BROWN, IL A DU MAL À REDESCENDRE ?

9-15

VLAM.

VOIS-TU, CE GENRE DE PROBLÈME NE M'INQUIÈTE PAS TROP !

SCHULZ

9-16

LE CIEL EST D'UN BLEU MERVEILLEUX AUJOURD'HUI, TU NE TROUVES PAS, LINUS ?

9-17

REGARDE LÀ-BAS... AS-TU DÉJÀ VU PLUS BEAU SPECTACLE ?

PEANUTS

QUELLE VIE QUE CELLE D'UN CHIEN ! TOUJOURS SEUL...

LES CHATS NOUS DÉTESTENT... LES CHEVAUX NOUS PIÉTINENT... LES ANIMAUX SAUVAGES NOUS MÉPRISENT...

11-19

SOUPIR

HEUREUSEMENT, IL Y A LES HUMAINS !

Schulz

PEANUTS

JE TE DOIS DES EXCUSES, COCHONNET... JE T'AI BEAUCOUP TAQUINÉ CES DERNIERS TEMPS.

ET QU'EST-CE QUI M'EN DONNE LE DROIT ? TU ES PEUT-ÊTRE CRASSEUX, MAIS, AU MOINS, TU AS DU TEMPÉRAMENT !

MOI ? JE SUIS PLAN-PLAN ! JE NE SUIS QUE ÇA... PLAN-PLAN ! JE SUIS COMPLÈTEMENT PLAN-PLAN ! JE SUIS NÉ PLAN-PLAN ET JE MOURRAI PLAN-PLAN !

11-30

QUAND TU **ME** REGARDES, TU AS SOUS LES YEUX LE CHAMPION NUMÉRO UN DE TOUS LES TEMPS DES PLAN-PLAN ! !

Schulz

36

JE N'ARRIVE PLUS À TROUVER LE MOT...

UN MOT QUI DÉCRIT À LA PERFECTION TA PERSONNALITÉ, CHARLIE BROWN, MAIS JE N'ARRIVE PAS À METTRE LE DOIGT DESSUS...

12 - 1

"PLAN-PLAN" ?

C'EST ÇA !

ÉCOUTE, TU N'AS NULLEMENT BESOIN DE ME DIRE QUE JE SUIS PLAN-PLAN !

JE LE SAIS !

EH BIEN, ÇA PROUVE QU'IL TE RESTE ENCORE DE L'ESPOIR, CHARLIE BROWN...

SI TU LE RECONNAIS TOI-MÊME, C'EST DÉJÀ UN PREMIER PAS HORS DE TA PLANPLANITUDE !

12 - 2

"PLANPLANITUDE" ?

SCHULZ

COMMENT PEUT-ON AIMER QUELQU'UN D'AUSSI PLAN-PLAN QUE MOI ?

JE T'EN PRIE, NE DÉSESPÈRE PAS, CHARLIE BROWN...

IL Y A PEUT-ÊTRE EN CE MONDE UNE FILLE AUSSI PLAN-PLAN QUE TOI... ET PEUT-ÊTRE QUE TU L'ÉPOUSERAS...

POUR ÉLEVER ENSUITE TOUTE UNE TRIPOTÉE DE GOSSES PLAN-PLAN, QUI, PEUT-ÊTRE, ÉPOUSERONT À LEUR TOUR DES GOSSES AUSSI PLAN-PLAN QU'EUX ET...

12-3

ARRRRGH !

SCHULZ

TU CROIS QUE LE PÈRE NOËL CONNAÎT VRAIMENT SON BOULOT, CHARLIE BROWN ?

12-22

OH, BIEN SÛR... JE CRAINS QU'IL NE L'EXERCE DEPUIS UN BON BOUT DE TEMPS...

C'EST BIEN CE QUI M'INQUIÈTE...

IL SERAIT PEUT-ÊTRE TEMPS QU'UN *JEUNE* PRENNE LA RELÈVE !

SCHULZ

38

PEANUTS

TU TE DISPUTES TOUJOURS AVEC LINUS ?

NON ! MA PHILOSOPHIE ME L'INTERDIT.

J'AI UNE TRÈS PROFONDE PHILOSOPHIE QUI A RÉSISTÉ À L'ÉPREUVE DU TEMPS, SI DIFFICILE QUE CE SOIT DE LE COMPRENDRE POUR LE NÉOPHYTE...

UNE PHILOSOPHIE GORGÉE AU FEU DES VICISSITUDES ET DE LA LUTTE POUR LA VIE...

12-23

"VIVRE ET LAISSER VIVRE" !

SCHULZ

PEANUTS

?

SNIF SNIF SNIF

?

AH-HA ! IL ME SEMBLAIT BIEN AVOIR FLAIRÉ UNE PIZZA !

MMMMMMMMM

SOUPIR
JE POURRAIS MANGER UNE PIZZA DE VINGT-QUATRE POUCES SANS UN BATTEMENT DE CIL !

SCHULZ

12-26

39

40

41

CHARGEZ !

EH ! QU'EST-CE QUE TU FABRIQUES AVEC CES TENAILLES !

EHH !!

42

BEETHOVEN ? POUAH ! IL N'ÉTAIT PAS SI GÉNIAL !

COMMENT ÇA, IL N'ÉTAIT PAS SI GÉNIAL ?

EH BIEN, IL N'A JAMAIS ÉTÉ ROI, PAS VRAI ?

IL N'A JAMAIS ÉTÉ ROI, NON ? PAS VRAI ?

8-4

ALORS, IL A ÉTÉ ROI ? IL L'A ÉTÉ ? HEIN ? ! !

SEIGNEUR DIEU !

COMMENT PEUT-ON DIRE DE QUELQU'UN QU'IL ÉTAIT "GÉNIAL" S'IL N'A JAMAIS ÉTÉ ROI ?

43

44

CRAC!

TU AS CASSÉ TOUS MES CRAYONS EN DEUX !

T'ES COMPLÈTEMENT MALADE OU QUOI ?

NON, JE NE CROIS PAS. BIEN SÛR, JE N'AI PASSÉ AUCUN TEST DE QI CES DERNIERS TEMPS, DE SORTE QUE...

TU ME RENDRAS FOLLE !!

VOILÀ ! AU BOULOT, MAINTENANT !!!

12-28

TU AS DÉJÀ ESSAYÉ DE RECOLLER DES CRAYONS ?

VOILÀ QUI MET FIN À LA PARTIE DE CROQUET !

46

47

PEANUTS

by

CHARLES M. SCHULZ

Les années soixante

PAS ÉTONNANT QUE LES GENS DEVIENNENT OBÈSES !

ILS NE FONT QUE MANGER ! ILS NE PENSENT QU'À ÇA !

TU PEUX LE DIRE !

TU SONGES SOUVENT À L'AVENIR, LINUS ?

OH, OUI... SANS ARRÊT.

TU TE VOIS COMMENT QUAND TU SERAS GRAND ?

SCANDALEUSEMENT HEUREUX !

JE NE ME SENS PAS TRÈS BIEN...

J'AI MAL À LA TÊTE ET J'AI LE TOURNIS QUAND JE LA BOUGE...

JE ME SENS VRAIMENT MAL...

LE PLUS CINGLÉ DES DESPERADOS DE L'OUEST !

J'AI L'IMPRESSION D'AVOIR ÉNORMÉMENT IMPRESSIONNÉ MON PROF DE PIANO...

J'AI ESSAYÉ DE LUI POSER DES QUESTIONS POUR LUI MONTRER À QUEL POINT JE M'INTÉRESSE.

QUEL GENRE DE QUESTIONS ?

JE LUI AI DEMANDÉ SI ELLE AVAIT ENTENDU PARLER DE BEETHOVEN...

VOILÀ ! JE L'AI JOUÉE EN ENTIER SANS FAIRE UNE SEULE FAUTE !

LA CHANCE !

10-25

NE ME DIS PAS QUE TU ATTENDS ENCORE LA "GRANDE CITROUILLE" ?

COMMENT PEUX-TU AJOUTER FOI À CE MENSONGE ÉHONTÉ ? ELLE NE VIENDRA JAMAIS ! ELLE N'EXISTE PAS !

JE CESSERAI DE CROIRE EN LA "GRANDE CITROUILLE" QUAND TU CESSERAS DE CROIRE À CE GROS TYPE EN COSTUME ROUGE ET BARBE BLANCHE QUI FAIT TOUT LE TEMPS "HO, HO, HO !"

10-28

NOUS SOMMES MANIFESTEMENT DE CONFESSIONS DIFFÉRENTES.

PEANUTS

IL SAIT QUELS ENFANTS ONT ÉTÉ SAGES ET QUELS AUTRES ONT ÉTÉ MÉCHANTS...

ET LA NUIT DE HALLOWEEN, LA "GRANDE CITROUILLE" SORT DU CARRÉ DE CITROUILLES ET S'ENVOLE À TRAVERS LES AIRS AVEC UN GRAND SAC DE JOUETS POUR TOUS LES ENFANTS SAGES DU MONDE !

10-29

À QUAND REMONTE TA DERNIÈRE VISITE MÉDICALE ?

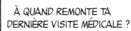

SCHULZ

PEANUTS

JE SUIS LE SEUL À CROIRE EN LA "GRANDE CITROUILLE", SNOOPY.

LE SEUL ENFANT AU MONDE QUI PASSERA LA NUIT DE HALLOWEEN DANS UN CARRÉ DE CITROUILLES À ATTENDRE QU'ELLE APPARAISSE... SUIS-JE CINGLÉ ?

REGARDE-MOI DANS LES YEUX ET DIS-MOI LE CONTRAIRE...

QU'AURAIS-JE BIEN PU LUI DIRE ?

SCHULZ

10-30

PEANUTS

TU ATTENDS ENCORE LA "GRANDE CITROUILLE" ?

HON-HON... TU ES ALLÉ QUÊTER DES BONBECS ?

OUAIS, J'AI RÉCOLTÉ UN PLEIN SAC DE FRIANDISES... TU VEUX UNE POMME ?

MERCI... SI LA "GRANDE CITROUILLE" SE MONTRE, JE LUI GLISSERAI UN MOT EN TA FAVEUR...

"SI" ?

"QUAND", JE VEUX DIRE.

JE SUIS ANÉANTI ! UN INFIME LAPSUS COMME CELUI-LÀ POURRAIT SUFFIRE À INCITER LA "GRANDE CITROUILLE" À M'IGNORER !

10-31
SCHULZ

PEANUTS

ALORS, COMMENT ÇA S'EST PASSÉ, HIER SOIR ?

PAS TRÈS BIEN... J'AI ATTENDU JUSQU'À QUATRE HEURES DU MATIN, MAIS LA "GRANDE CITROUILLE" N'EST PAS VENUE... J'AI FAILLI MOURIR TRANSI...

J'IMAGINE QU'UN CARRÉ DE CITROUILLES PEUT ÊTRE GLACIAL À QUATRE HEURES DU MATIN...

... SURTOUT TRANSI DE DÉPIT.

SCHULZ

Ô "GRANDE CITROUILLE", TU M'AS ENCORE LAISSÉ TOMBER !

JE NE CROIRAI PLUS JAMAIS EN TOI ! JAMAIS !

NE FAIS PAS ATTENTION... JE NE SAIS PLUS CE QUE JE DIS !

PERSONNE NE M'AIME... TOUT LE MONDE ME DÉTESTE...

EH BIEN, CHARLIE BROWN, SI LE MONDE ENTIER SE LIGUE CONTRE TOI, J'AIMERAIS TE FAIRE COMPRENDRE CE QUE JE RESSENS...

TU VEUX ÊTRE MON AMIE ?

NON. JE SERAI TON ENNEMIE, MOI AUSSI !

PEANUTS

OÙ EST MON PONCHO ?!

IL PLEUT ! JE NE PEUX PAS ALLER À L'ÉCOLE SANS MON PONCHO !

11-22

QUI A PRIS MON PONCHO ?!

PEANUTS

MON PÈRE A BEAUCOUP LU ET ÉTUDIÉ CES DERNIERS TEMPS.

4-6

LA THÉOLOGIE, L'HISTOIRE, LA COMMUNICATION, LA POLITOLOGIE... IL SE PASSIONNE POUR L'INAPTITUDE DES HOMMES À RÉALISER LEUR TOUT COSMIQUE...

ET TOUTES CES LECTURES ET CES ÉTUDES ONT PORTÉ LEUR FRUIT ?

OH, OUI !

IL NE PENSE PLUS AU BOWLING !

57

5-13

"PLAY IT AGAIN, SAM"

ESPÈCE DE CRÉTIN DE GOSSE ! TU NE LE RÉPÉTERAIS PAS SI MON GRAND FRÈRE ETAIT LÀ !

5-14

PEUT-ÊTRE QUE SI, FINALEMENT !

SOUPIR

ASSISTANCE
PSYCHIATRIQUE 5¢

LE DOCTEUR
EST LÀ

ASSISTANCE
PSYCHIATRIQUE 5¢

UN
OISEAU
DÉPRIMÉ ?

LE DOCTEUR
EST LÀ

QU'EST-CE QUI PEUT BIEN TE
DÉPRIMER ? TU N'ES PAS DIFFÉRENT
DES AUTRES OISEAUX... CESSE
DE T'APITOYER SUR TOI-MÊME...

SOUVIENS-TOI... LE CIEL EST VASTE !

LE DOCTEUR
EST LÀ

ZUT ! C'EST LA SEULE CHOSE À LAQUELLE
NOUS DEVRIONS ÊTRE ATTENTIFS, NOUS
AUTRES PSYCHIATRES... JE L'AI GUÉRI SI
VITE QU'IL S'EST ENVOLÉ SANS PAYER...

LE DOCTEUR
EST LÀ

59

60

PEANUTS Il était une fois un peureux chevalier.

Soudain, un coup de feu retentit !

L'INTRIGUE S'ÉPAISSIT !

PEANUTS J'AI TERMINÉ LE DESSIN DE TA COUVERTURE...

TU VOIS ? ÇA MONTRE UNE BANDE DE PIRATES ET DE LÉGIONNAIRES SE BATTANT CONTRE DES COW-BOYS, PENDANT QUE DES LIONS, DES TIGRES ET DES ÉLÉPHANTS BONDISSENT À TRAVERS LES AIRS SUR LA FILLE LIGOTÉE À UN SOUS-MARIN...

IL A AIMÉ TON DESSIN ?

IL VEUT DAVANTAGE DE TIGRES !

61

PEANUTS

ÇA SUFFIT !

C'EST MON PREMIER JOUR D'ÉCOLE !!

9-2

FAIS CUIRE UN OEUF ! CIRE TES CHAUSSURES ! PRÉPARE TON DÉJEUNER ! CONJUGUE TES VERBES !

"CONJUGUE TES VERBES" ?

PEANUTS

TU M'AS FAIT PASSER POUR UNE IDIOTE !

TU M'AS OBLIGÉE À METTRE MON DÉJEUNER DANS UNE MALLETTE... TU SAIS CE QUI S'EST PASSÉ ?

9-3

CELUI DE TOUS LES AUTRES ÉTAIT DANS UN SAC EN PAPIER BRUN ! JE ME SUIS SENTIE COMPLÈTEMENT RIDICULE !

TU ES DE MAUVAIS CONSEIL, GRAND FRÈRE !

ÉCRASANTE RESPONSABILITÉ...

62

PEANUTS

Elle soupira lorsqu'il lui effleura la main...

9-6

ARRÊTE DE PLEUVOIR SUR MON ROMAN !

PEANUTS

Et ils vécurent heureux jusqu'à la fin des temps.

FIN

POUR LA PREMIÈRE FOIS DE MA VIE, JE SAIS CE QUE LÉON A DÛ ÉPROUVER...

9-8

LÉON TOLSTOÏ, BIEN ENTENDU !

PEANUTS

VOICI LE ROMANCIER DE RENOMMÉE MONDIALE EN ROUTE VERS LA BOÎTE AUX LETTRES POUR ENVOYER SON DERNIER MANUSCRIT.

U.S. MAIL

ATTENDS, JE VAIS T'AIDER...

MA CARRIÈRE A FAILLI S'ARRÊTER NET !

U.S. MAIL

PEANUTS

OH, EXCUSE-MOI...

PAS GRAVE... J'ATTENDS UNE RÉPONSE DE MON ÉDITEUR...

PEANUTS

EH, SNOOPY ! REGARDE !

UNE LETTRE DE TON ÉDITEUR...

VRAIMENT ?

J'AI PEUR DE L'OUVRIR...

FAIS ATTENTION... IL Y A SÛREMENT UN CHÈQUE À L'INTÉRIEUR !

PEANUTS

"CHER COLLABORATEUR, NOUS AVONS LE REGRET DE VOUS INFORMER QUE VOTRE MANUSCRIT NE CORRESPOND PAS À NOS BESOINS."

EXACTEMENT CE QUE JE CRAIGNAIS...

IL FAIT UN "SYNDROME DE REJET" !

67

CONTACT !

ADIEU, LES GARS !

VOICI L'AS DE LA VOLTIGE DE LA PREMIÈRE GUERRE MONDIALE AUX COMMANDES DE SON "SOBRE CHAMEAU DU DÉSERT"...

1-23

AUJOURD'HUI, SURVOL DE LA BELGIQUE... JE PEUX REPÉRER N'IMPORTE QUEL CONVOI...

MAIS JE DOIS TRAQUER L'INFÂME BARON ROUGE ET L'ABATTRE !

ARRRGH ! IL EST JUSTE DERRIÈRE MOI ! IL M'A ENCORE TOUCHÉ !

MON ZINC A PRIS FEU !!

JE DOIS SAUTER !

MAUDIT SOIS-TU, BARON ROUGE !

EN GÉNÉRAL, L'AS DES CHASSEURS DE LA PREMIÈRE GUERRE MONDIALE N'ATTERRIT PAS DANS SON ÉCUELLE LORSQU'IL SAUTE EN PARACHUTE !

DIEU QUE C'EST EMBARRASSANT !

ADIEU, LES GARS !

CONTACT !

VOICI L'AS DES PILOTES DE LA PREMIÈRE GUERRE MONDIALE DÉCOLLANT D'UN QUELCONQUE CHAMP ANGLAIS...

SATANÉ BROUILLARD ! COMBATTRE LE BARON ROUGE N'EST DÉJÀ PAS COMMODE, ET S'IL FAUT EN PLUS COMBATTRE LE BROUILLARD !

L'ÉTAT-MAJOR EXIGE TROP DE NOUS ! À MON RETOUR, J'ÉCRIRAI AU PRÉSIDENT WILSON.

LE BARON ROUGE ! IL M'A ENCORE TOUCHÉ !

MAUDIT SOIS-TU, BARON ROUGE !

JE DOIS ATTERRIR EN CATASTROPHE DERRIÈRE LES TRANCHÉES...

JE RAMPE HORS DE L'ÉPAVE DE MON "SOBRE CHAMEAU DU DÉSERT"; COUVERT D'ECCHYMOSES... PIÉGÉ EN PLEIN NO MAN'S LAND ! JE PROGRESSE À GRAND PEINE !

SOUDAIN, JE LES APERÇOIS... LES BARBELÉS ! ! ! ! JE DOIS LES TRAVERSER AVANT QUE LES MITRAILLEURS NE M'AIENT REPÉRÉ...

? ? ?

C'ÉTAIT QUOI ?

UN PILOTE DE LA PREMIÈRE GUERRE MONDIALE FRANCHISSANT DES BARBELÉS, JE CROIS... MAIS JE N'EN SUIS PAS SÛR...

2-6

AH ! LA MOSELLE !

VOICI L'AS DES AS DE LA PREMIÈRE GUERRE MONDIALE ABATTU DERRIÈRE LES LIGNES ENNEMIES...

JE ME FAUFILE DE NUIT PAR LES TRANCHÉES DÉSERTÉES...

LE JOUR, JE DORS DANS LES MEULES DE FOIN...

LA NUIT EST TOMBÉE D'UN COUP... JE DOIS POURSUIVRE MON PÉRIPLE À TRAVERS LA FRANCE POUR GAGNER LA MANCHE...

TIENS ! UNE PETITE FERME FRANÇAISE ! IL Y A QUELQU'UN ?

OH, N'AYEZ CRAINTE, MADEMOISELLE... JE SUIS UN PILOTE ALLIÉ... MON AVION A ÉTÉ DESCENDU PAR LE BARON ROUGE...

ELLE NE COMPREND PAS ZE ENGLISH... OH, MAIS ELLE COMPRENDRA AU MOINS QUE JE SUIS UN FRINGANT JEUNE PILOTE...

QUANT À ELLE, C'EST UNE RAVISSANTE JEUNE FRANÇAISE... DE LA SOUPE ? OH, AVEC PLAISIR, MADEMOISELLE ! CE SERAIT ÉPATANT ! UNE PETITE SOUPE DE POMMES DE TERRE, ET ME VOILÀ REPARTI...

COMMENT ME RÉSOUDRE À LA QUITTER ? JE REVIENDRAI PEUT-ÊTRE UN JOUR... AU REVOIR, MADEMOISELLE... AH, QUEL DOMMAGE ! JE LUI BRISE LE CŒUR... NE PLEUREZ PAS MON PETIT... NE PLEUREZ PAS...

ADIEU ! ADIEU !

MAUDITS SOIENT LE BARON ROUGE ET SES PAREILS ! MAUDITE SOIT LA VILENIE DE CE MONDE ! MAUDIT SOIT LE MAL QUI CAUSE TOUT CE MALHEUR ! MAUDIT SOIT...

JE CRAINS QUE CES MISSIONS N'EXIGENT TROP DE LUI...

2-13

VOUS BILEZ PAS, LES GARS... JE SAIS QUE J'AI EU PLUS QUE MON LOT DE SORTIES, MAIS LE BOULOT DOIT ÊTRE FAIT !

MES FIDÈLES MÉCANOS S'INQUIÈTENT POUR MOI...

VOICI L'AS DE LA PREMIÈRE GUERRE MONDIALE AUX COMMANDES DE SON "SOBRE CHAMEAU DU DÉSERT"...

JE FONCE VERS LES LIGNES ENNEMIES, BIEN DÉCIDÉ À TROUVER LE BARON ROUGE !

JE SURVOLE VERDUN ET FORT DOUAUMONT... PUIS JE METS CAP À L'EST SUR ÉTAIN... J'AI LE SOLEIL DANS LES YEUX...

GRANDS DIEUX ! VOILÀ LE BARON ROUGE ET TOUT LE CIRQUE VOLANT ! !

JE NE PEUX PAS LES AFFRONTER SEUL ! JE DOIS FILER ! FONCE, "SOBRE CHAMEAU DU DÉSERT", FONCE ! ! !

4-17

ILS SONT JUSTE DERRIÈRE MOI ! ILS ME CERNENT ! JE SUIS ENTOURÉ PAR DES TRIPLANS FOKKER !

ARGH!

POURQUOI MON CHIEN NE SE LIVRE-T-IL PAS À DES ACTIVITÉS BANALES, COMME COURIR APRÈS LES VOITURES ?

71

SALUT, ARBRE MANGEUR DE CERFS-VOLANTS !

TU M'AS L'AIR D'AVOIR PRIS DU POIDS DEPUIS LA DERNIÈRE FOIS.. TU AS GRANDI, AUSSI.

MAIS TU N'AS PAS MANGÉ DE CERFS-VOLANTS RÉCEMMENT, PAS VRAI ?

EN TOUT CAS, TU N'AURAS PAS CELUI-CI, SALE ARBRE MANGEUR DE CERFS-VOLANTS ! JE VAIS LE FAIRE VOLER À L'AUTRE BOUT DE LA VILLE, RIEN QUE POUR T'EMBÊTER ! TU PEUX CREVER DE FAIM ! TU M'ENTENDS ?!

ÇA TE FAIT SALIVER, HEIN ? VOILÀ DES MOIS QUE TU N'AS PAS MANGÉ UN CERF-VOLANT ET TU CRÈVES D'ENVIE D'ATTRAPER CELUI-CI, PAS VRAI ? PAS VRAI ?

EH BIEN, PAS QUESTION ! TU M'ENTENDS ? PAS QUESTION !

TIENS, PRENDS-LE.

2-19

L'HIVER A ÉTÉ LONG ET MON BON CŒUR ME PERDRA...

MIAM ! MIAM ! MIAM !

TU NE TE LASSES JAMAIS DE CETTE COUVERTURE ?

6-25

PAS VRAIMENT !

COMMENT FEINTER LE SUIVANT, CHARLIE BROWN ?

J'EN SAIS TROP RIEN...

BALANCE-LUI TA BALLE COURBE, CHARLIE BROWN.

EH, VOUS AVEZ REMARQUÉ COMME ÇA SE CONSTRUIT DANS LE COIN ! ON N'AURA BIENTÔT PLUS D'ENDROIT POUR JOUER... REGARDEZ-MOI TOUTES CES MAISONS...

MON PÉPÉ DIT QUE CET EMPLACEMENT N'ÉTAIT JADIS QU'UN GRAND PÂTURAGE...

6-30

QU'IL SE SOUVIENT ENCORE DU TEMPS OÙ IL MENAIT PAÎTRE LE BÉTAIL ICI.

MON PAPA DIT QU'IL AURAIT PU GAGNER BEAUCOUP D'ARGENT EN ACHETANT CES TERRES VOILÀ VINGT ANS.

VINGT ANS ? CINQ ANS SUFFISENT LARGEMENT !

C'EST BIEN MON AVIS !

BIEN SÛR ! LE PRIX DU TERRAIN GRIMPE PARTOUT !

REGARDEZ LÀ OÙ ON A CONSTRUIT LE NOUVEAU SUPERMARCHÉ...

C'EST CE QUE DISAIT MON GRAND-PÈRE... IL DISAIT QU'ON AURAIT PU ACHETER CE TERRAIN POUR PRESQUE RIEN VOILÀ À PEINE DEUX ANS !

QU'EN PENSES-TU, CHARLIE BROWN ?

FRANCHEMENT ? QU'IL POURRAIT FRAPPER UNE BALLE COURBE...

74

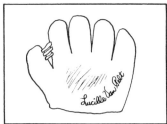

D'ACCORD, TÂCHONS DE NOUS RÉVEILLER UN PEU !

EH, COACH... UN GOSSE A DÛ OUBLIER SON GANT... SON NOM EST INSCRIT DESSUS...

TU VOIS ? JUSTE ICI... "WILLIE MAYS"... IL A ÉCRIT SON NOM SUR SON GANT, TU VOIS ?

PAUVRE GOSSE... IL DOIT LE CHERCHER PARTOUT... ON DEVRAIT AVOIR UN BUREAU DES "OBJETS TROUVÉS".

JE NE CONNAIS AUCUN GOSSE DU COIN QUI S'APPELLE "WILLIE MAYS", ET TOI ? COMMENT FAIRE POUR LE LUI RENDRE ? MAIS IL A BIEN FAIT DE MARQUER SON NOM DESSUS, MALGRÉ TOUT... BIZARRE... JE NE ME SOUVIENS D'AUCUN GOSSE DE CE NOM...

REGARDE LE NOM INSCRIT SUR TON GANT.

QUOI ?

REGARDE TON GANT... IL PORTE AUSSI UN NOM...

"BABE RUTH"... QUE J'SOIS... ! OÙ DIABLE AI-JE PU TROUVER LE GANT DE CETTE FILLE ? !

77

Il était une fois un peureux chevalier.

Soudain, un coup de feu retentit. Une porte claqua. La jeune fille poussa un hurlement.

Soudain, un vaisseau pirate apparut à l'horizon !

Alors que des millions de ses sujets mouraient de faim, le roi vivait dans le luxe.

Entre-temps, un jeune garçon grandissait dans une petite ferme du Kansas.

Deuxième partie

DANS LA DEUXIÈME PARTIE, JE RELIERAI ENTRE EUX TOUS CES ÉLÉMENTS...

Le
Peureux Chevalier
par SNOOPY

Tous droits réservés

Il était une fois un peureux chevalier.

Soudain, un coup de feu retentit. Une porte claqua. La jeune fille poussa un hurlement. Soudain, un vaisseau pirate apparut à l'horizon ! Alors que des millions de ses sujets mouraient de faim, le roi vivait dans le luxe.

Entre-temps, un jeune garçon grandissait dans une petite ferme du Kansas.
Fin de la première partie

Deuxième partie
Une neige légère tombait et la petite fille au châle effrangé n'avait pas vendu une violette de la journée.

Au même instant, un jeune interne faisait une importante découverte à l'hôpital municipal.

J'AI L'IMPRESSION DE M'ÊTRE PERDU DANS LE LABYRINTHE DE MA PROPRE INTRIGUE...

Les années soixante-dix

JE DOIS SANS CESSE LUI RAPPELER DE S'ASSEOIR À DEUX MÈTRES AU MOINS DE MA TÉLÉ COULEUR...

J'AI ENFIN DÉCOUVERT LE NOM DE CE STUPIDE VOLATILE...

VOUS NE LE CROIREZ JAMAIS...

WOODSTOCK !

WOODSTOCK ET MOI ADORONS ALLER PIQUE-NIQUER.

PARFOIS, IL MARCHE...

PARFOIS, IL VOLE...

MAIS IL DORT TOUJOURS POUR LE RETOUR !

Z

6-23

QUAND ON CONNAÎT SES ÉTOILES, ON NE SE PERD JAMAIS DANS LES BOIS.

TU VOIS L'ÉTOILE, LÀ-HAUT... C'EST L'ÉTOILE DE L'OUEST... SI TON CAMP EST À L'OUEST, SUIS-LA...

ET S'IL EST À L'EST ? IL Y A UNE ÉTOILE DE L'EST ?

6-24

NON. CE SERAIT TROP SIMPLE...

PEANUTS

TU VOIS CETTE ÉTOILE, LÀ-HAUT ?

C'EST L'ÉTOILE DU NORD.

ET CETTE AUTRE, C'EST L'ÉTOILE DU SUD...

SI TU M'ÉCOUTES, TU NE TE PERDRAS JAMAIS DANS LES BOIS...

JE N'AI PAS L'INTENTION DE QUITTER LE JARDIN !

PEANUTS

JE T'AI APPORTÉ UNE SURPRISE POUR LE DÎNER !

TOUJOURS LE MÊME VIEUX RATA ! JE SAIS QUE TU T'ATTENDAIS À DU NOUVEAU CE SOIR, ALORS JE T'AI FAIT UNE SURPRISE EN T'APPORTANT LA MÊME CHOSE !

C'ÉTAIT UNE FARCE... POURQUOI TU NE RIS PAS ?

BIEN RARE EST L'ESTOMAC DOUÉ DU SENS DE L'HUMOUR !

85

ATCHOUM!

TU AS L'AIR D'UN IDIOT !

HEIN ?

VLAN !

SI LA VIE ÉTAIT UNE PARTIE DE BASKET, J'AURAIS DROIT AU MOINS À TROIS LANCERS LIBRES !

PEANUTS

PROBLÈME RÉSOLU...

COMMENCER CHAQUE JOURNÉE AVEC LE SOURIRE AUX LÈVRES...

LAISSE TOMBER !

PEANUTS

TU CROIS POUVOIR TE RÉVEILLER CHAQUE MATIN AVEC LE SOURIRE AUX LÈVRES...

EH BIEN, ÇA NE SUFFIT PAS...

TU DEVRAIS TE LEVER AVEC UNE CHANSON DANS LA TÊTE, L'ŒIL QUI PÉTILLE ET L'ÂME EN PAIX !

IL N'EN FAUDRAIT PAS PLUS POUR SABOTER UN BON PETIT-DÉJEUNER.

PEANUTS

FLÛTE !

J'ATTENDS CETTE PARTIE DEPUIS LE DÉBUT DE LA SEMAINE ET VOILÀ QU'IL SE MET À PLEUVOIR !

5-26

EN FAIT, LA PLUIE EST BONNE POUR LES CAROTTES, CHARLIE BROWN, COMME POUR L'ORGE ET LES HARICOTS, L'AVOINE ET LA LUZERNE...

OU BIEN EST-ELLE MAUVAISE POUR LA LUZERNE ? IL ME SEMBLE QU'ELLE FAIT DU BIEN AUX ÉPINARDS ET DU MAL AUX POMMES, DU BIEN AUX BETTERAVES ET AUX ORANGES...

... MAUVAISE POUR LE RAISIN, MAIS BONNE POUR LES COIFFEURS, MAUVAISE POUR LES CHARPENTIERS, BONNE POUR LES ÉDILES DU COMTÉ, MAUVAISE POUR LES VENDEURS DE VOITURE, MAIS...

SOUPIR

PEANUTS

VOICI JOE COOL, TRAÎNANT AUTOUR DU SYNDICAT ÉTUDIANT.

5-27

EH, JOE... TU T'ES BIEN DÉBROUILLÉ EN CHIMIE, AUJOURD'HUI ?

LA CHIMIE, ÇA CRAINT, MEC.

JOE COOL S'EN FOUT DE LA CHIMIE QUAND IL TRAÎNE AUTOUR DU SYNDICAT ÉTUDIANT.

89

VOICI JOE COOL, TRAÎNANT AUTOUR DU SYNDICAT ÉTUDIANT ET MATANT LES NANAS.

EN RÉALITÉ, JOE COOL A UNE TROUILLE NOIRE DES NANAS.

VOICI JOE COOL TRAÎNANT DANS LE DORTOIR UN DIMANCHE APRÈS-MIDI.

SALUT, JOE.

POURQUOI TU TRAÎNES DANS LE DORTOIR UN DIMANCHE APRÈS-MIDI ?

PAS DE BAGNOLE, VIEUX !

90

PEANUTS

ALLÔ, CHUCK ? TU M'ACCOMPAGNES À LA FÊTE FORAINE ? J'AI DEUX BILLETS GRATUITS ET JE NE VEUX PAS LES GASPILLER...

5-31

J'AI DEMANDÉ À ROY, FRANKLIN, RON, TOM, WARREN, CRAIG, PETER, DON ET BILL, MAIS AUCUN N'ÉTAIT LIBRE...

EN DERNIER RECOURS, JE TE LE DEMANDE À TOI, CHUCK... TU VEUX BIEN VENIR AVEC MOI À LA FÊTE FORAINE, POUR QU'ON NE GASPILLE PAS CES DEUX BILLETS GRATUITS ?

JE PARIE QUE TU TE SENS FLATTÉ QUE JE T'AIE CHOISI... PAS VRAI, CHUCK ?

PEANUTS

SALUT, CHUCK... MERCI D'ÊTRE À L'HEURE..

6-1

LA FÊTE EST PAR LÀ, À UN KILOMÈTRE... ON VA BIEN S'AMUSER, JE CROIS.

T'AIMES BIEN SORTIR AVEC MOI, HEIN, CHUCK ?

91

PEANUTS

JE NE SAIS PAS POUR TOI, CHUCK...

... MAIS IL PARAÎT QUE CERTAINES PERSONNES SONT MALADES SUR LE GRAND 8 ET LA GRANDE ROUE...

6-2

CERTAINS GOSSES ONT MÊME MAL AU CŒUR EN MANÈGE...

MAIS TU ES LE SEUL QUE JE CONNAISSE À QUI LE TOURNIQUET DONNE LA NAUSÉE !

PEANUTS

ON Y EST, CHUCK ! UNE VRAIE FÊTE FORAINE !

REGARDE ! IL Y A UNE BARAQUE OÙ ON PEUT GAGNER DES LOTS EN RENVERSANT DES ESPÈCES DE BOUTEILLES DE LAIT EN BOIS !

6-3

ILS T'ONT VU VENIR, CHUCK...

ET ILS ONT SANS DOUTE VU ARRIVER AUSSI TA BALLE RAPIDE !

ON S'AMUSE BIEN, CHUCK ?

UNE FOIS, J'AI VU UN FILM OÙ UN GARÇON ET UNE FILLE SE RENDAIENT À UNE FÊTE FORAINE... ILS MONTAIENT SUR TOUTES LES ATTRACTIONS, MANGEAIENT DU POP-CORN ET S'AMUSAIENT BEAUCOUP... IL LUI A MÊME ACHETÉ UN BALLON...

TU VAS M'ACHETER UN BALLON, CHUCK ?

TIENS ! VOILÀ TON BALLON...

25¢

ON S'AMUSE DRÔLEMENT BIEN, HEIN, CHUCK ?

REGARDE, CHUCK... UN LANCER DE FLÉCHETTES...

ESSAIE DE GAGNER UN PANDA EN PELUCHE...

TU ES SÛREMENT PLUS FORTE QUE MOI...

TIENS... LANCE-LES.

TU AS EFFLEURÉ MA MAIN, CHUCK...

93

PEANUTS PARFOIS, QUAND DEUX PERSONNES RENTRENT D'UNE FÊTE FORAINE, ELLES SE TIENNENT PAR LA MAIN...

JE SAIS... JE ME DEMANDAIS TOUJOURS L'EFFET QUE ÇA ME FERAIT DE RENTRER D'UN SPECTACLE OU D'UNE FÊTE FORAINE EN TENANT CETTE PETITE FILLE ROUSSE PAR LA MAIN... ET JE...

? ?

J'AI L'IMPRESSION QUE J'AI TOUT GÂCHÉ...

PEANUTS JE SUIS RENTRÉ

JE SUIS ALLÉ À LA FOIRE AVEC PEPPERMINT PATTY ET J'AI APPRIS QUELQUE CHOSE...

IL N'EST PAS POSSIBLE DE PASSER UN APRÈS-MIDI ENTIER AVEC UNE FILLE SANS DIRE UNE BÊTISE.

À PART ÇA, QUOI DE NEUF ?

94

ALLÔ, CHUCK ? JE TE RÉVEILLE ?

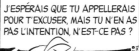

J'ESPÉRAIS QUE TU APPELLERAIS POUR T'EXCUSER, MAIS TU N'EN AS PAS L'INTENTION, N'EST-CE PAS ?

EH BIEN, JE...

BONNE NUIT, CHUCK ! ✶ CLIC ✶

AU BON VIEUX TEMPS, ON POUVAIT S'ENGAGER DANS LA LÉGION...

VOICI JOE COOL, TRAÎNANT AUTOUR DU SYNDICAT ÉTUDIANT...

SALUT, JOE... J'AI APPRIS QUE TU SORTAIS COURIR...

PAS QUESTION !

JOE COOL RÉPOND "PAS QUESTION !" À TOUTES LES QUESTIONS...

6-10

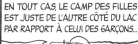

PEANUTS

ME VOICI DONC DE NOUVEAU DANS UN CAR, EN ROUTE POUR LA COLO.

VOICI LE HÉROS DE LA PREMIÈRE GUERRE MONDIALE, EN ROUTE POUR LE FRONT...

J'IGNORE POURQUOI JE FAIS ÇA... JE DÉTESTE LA COLO...

NOUS NE DEVRIONS PLUS TARDER À ARRIVER...

PARAÎT QUE LA COLO NOUS FERA LE PLUS GRAND BIEN...

PAS LE MOINDRE SIGNE... JUSTE QUELQUES RAMPANTS TRAVAILLANT DANS LES CHAMPS...

7-19

QUE ÇA VOUS PRÉPARE AU SERVICE MILITAIRE, QUE JE N'AI PAS ENVIE DE FAIRE NON PLUS...

MAUDITE SOIT CETTE STUPIDE GUERRE !

SCHULZ

PEANUTS

IL PLEUT ! SEIGNEUR DIEU !

COMMENT S'AMUSER EN COLO PAR UN TEMPS AUSSI LUGUBRE ? JE ME DEMANDE CE QUE FABRIQUE CHUCK ?

À QUELLE HEURE LE DÉJEUNER, MONSIEUR ?

NE M'APPELLE PAS "MONSIEUR" ! QUELLE GOSSE LUGUBRE TU PEUX FAIRE !

"LUGUBRE" ?

7-20

SCHULZ

97

PEANUTS

VOILÀ, SNOOPY ! C'EST LA COLO...

SÛREMENT UNE GARNISON DE L'ARTILLERIE... JE PLAINS CES PAUVRES GARS QUI TRAVAILLENT DANS LES CHAMPS...

LA PREMIÈRE CHOSE À FAIRE, À MON AVIS, C'EST SE PRÉSENTER À CELUI QUI PARTAGE NOTRE TENTE.

SALUT, VIEUX... JE M'APPELLE CHARLIE BROWN... JE CROIS QU'ON VA...

BOUCLE-LA ET FICHE-MOI LA PAIX !

PEANUTS

BONTÉ DIVINE ! ENCORE UNE JOURNÉE PLUVIEUSE ! LE TEMPS LE PLUS SINISTRE QUE J'AIE JAMAIS VU !

VOUS NE DEVRIEZ PAS CRITIQUER LE TEMPS, MONSIEUR... IL FAIT PARTIE INTÉGRANTE DU MONDE OÙ NOUS VIVONS...

CESSE DE M'APPELER "MONSIEUR".

EN OUTRE, CETTE PLUIE ARRANGE PROBABLEMENT UN CULTIVATEUR, CE QUI, BIEN SÛR, SOULÈVE UNE AUTRE QUESTION...

JE N'AI JAMAIS VU UN SEUL CULTIVATEUR ALLER EN COLO. ET VOUS, MONSIEUR ?

JE N'EN PEUX PLUS !

PEANUTS

TON COURRIER, SNOOPY... TU AS REÇU UNE CARTE DE WOODSTOCK...

"CHER AMI D'AMIS... JE SUIS ARRIVÉ SANS ENCOMBRE AU CAMP DES AIGLES ET JE PRENDS DU BON TEMPS, MÊME SI LE TRAVAIL EST PÉNIBLE."

7-23

"QUELLES NOUVELLES DU FRONT ? PRENDS BIEN SOIN DE TOI ET SALUE LE BARON ROUGE DE MA PART."

CE WOODSTOCK SE PAIE MA TÊTE !

PEANUTS

LA CLOCHE DU DÎNER...

7-24

JE ME DEMANDE SI MON VOISIN L'A ENTENDUE... ALLONS VÉRIFIER...

EH, VIEUX... C'EST L'HEURE DU DÎNER !

BOUCLE-LA ET FICHE-MOI LA PAIX !

99

PEANUTS

AH, UNE AUTRE LETTRE DE WOODSTOCK, EN PROVENANCE DU CAMP DES AIGLES.

"CHER AMI D'AMIS... AUJOURD'HUI, NOUS AVONS ÉCOUTÉ UNE CONFÉRENCE SPÉCIALE D'UNE CHENILLE QUI A RÉUSSI À TRAVERSER L'AUTOROUTE SANS SE FAIRE ÉCRASER..."

7-26

"UNE AVENTURE PALPITANTE... ELLE NOUS AVAIT TOUS FAIT ASSEOIR SUR UNE BRANCHE, EN RANG D'OIGNONS ! AH AH !"

SACRÉ WOODSTOCK !

PEANUTS

J'AI MAL À L'ESTOMAC, MONSIEUR...

CESSE DE M'APPELER "MONSIEUR" ET FILE À L'INFIRMERIE SUR TES PETITES JAMBES À LA BOBBY ORR !

MES "JAMBES À LA BOBBY ORR" ?

7-27

PEANUTS

DÉSOLÉE DE VOUS AVOIR RÉVEILLÉ CETTE NUIT, MONSIEUR...

CESSE DE M'APPELER "MONSIEUR" ET NE TE TRACASSE PAS POUR CETTE NUIT... C'EST À ÇA QUE SERVENT LES MONITEURS...

MON ESTOMAC VA MIEUX CE MATIN. CETTE COLO EST SYMPA, MAIS JE ME SENTIRAIS MIEUX S'IL Y AVAIT DES GARÇONS...

LE CAMP DES GARÇONS EST DE L'AUTRE CÔTÉ DU LAC... J'Y CONNAIS DE TRÈS CHOUETTES TYPES...

ET SI ON FAISAIT LE TOUR DU LAC SUR NOS PETITES GUIBOLLES À LA MAMA CASS POUR ALLER LEUR RENDRE VISITE ?

DES "GUIBOLLES À LA MAMA CASS"?

7-25

PEANUTS

VOUS ÊTES SÛR QU'ON A LA PERMISSION, MONSIEUR ?

CESSE DE M'APPELER "MONSIEUR" ! BIEN SÛR QUE OUI !

J'AI PRÉVENU LA MONITRICE DE NOTRE ESCAPADE ET ELLE A JUSTE DIT QU'ON DEVAIT RENTRER AVANT NEUF HEURES.

QUI ON VA VOIR ?

EH BIEN, UN DES GARÇONS S'APPELLE CHUCK ET L'AUTRE EST UN DRÔLE DE GOSSE BIZARRE AVEC UN GRAND NEZ, MAIS TRÈS CHOUETTE TOUT DE MÊME...

JE VOUS REMERCIE DE M'AVOIR EMMENÉE, MONSIEUR...

CESSE DE M'APPELER "MONSIEUR" !

7-29

101

102

PEANUTS

AH, UNE AUTRE LETTRE DE WOODSTOCK !

"CHER AMI D'AMIS... JE SUIS UNE NULLITÉ... JE VIENS DE ME FAIRE ÉJECTER DU CAMP DES AIGLES... JE SUIS AU TRENTE-SIXIÈME DESSOUS..."

"J'AI TOUJOURS RÊVÉ D'ÊTRE UN AIGLE ET DE PLANER AU-DESSUS DES NUAGES... MAIS, À PRÉSENT, MES RÊVES SONT À L'EAU... JE ME SUIS FAIT VIRER PARCE QUE JE SAIGNAIS TROP SOUVENT DU BEC..."

PAUVRE WOODSTOCK !

PEANUTS

ON DOIT ENCORE MARCHER LONGTEMPS, MONSIEUR ?

CESSE DE M'APPELER "MONSIEUR"... LE CAMP DES GARÇONS SE TROUVE JUSTE DERRIÈRE CETTE COLLINE....

VOICI L'AS DE LA PREMIÈRE GUERRE MONDIALE DERRIÈRE LES LIGNES ENNEMIES...

SNOOPY !

SALUT, VIEILLE BRANCHE ! COMMENT ÇA VA ?

PAUVRE PETITE BOUSEUSE EN MANQUE D'AFFECTION... ELLE EN PINCE DÉJÀ POUR MON UNIFORME !

103

PEANUTS

CHUCK ! NOUS VOICI ! JE T'AVAIS DIT QU'ON VIENDRAIT, ET ON EST VENUES !

ON S'EMBÊTAIT TELLEMENT QU'ON A FAIT LE TOUR DU LAC SUR NOS PETITES PATTES À LA RUBY KEELER, ET NOUS VOICI ! JE PARIE QUE TU ES CONTENT DE ME VOIR ! PAS VRAI, CHUCK ?

8-4

OÙ EST SNOOPY ? C'EST FORMIDABLE... JE COMPTAIS LE PRÉSENTER À MON ABRUTIE DE PETITE COPINE ET IL S'EST CAVALÉ...

ET CE GOSSE, CHUCK ? C'EST UN AMI À TOI ? PRÉSENTE-NOUS, CHUCK !

PEANUTS

EH, PETIT, PERSONNE NE SEMBLE PENSER À NOUS PRÉSENTER, ALORS JE...

BOUCLE-LA ET FICHE-MOI LA PAIX !

T'AS DE DRÔLES DE FRÉQUENTATIONS, CHUCK !

8-5

ON N'A PAS FAIT LE TOUR DU LAC POUR SE FAIRE INSULTER ! TU ME DÉÇOIS BEAUCOUP, CHUCK ! !

ON RENTRE AU CAMP DES FILLES, MONSIEUR ?

CESSE DE M'APPELER "MONSIEUR" !

"MONSIEUR" ?

104

PEANUTS

ET ME VOICI DE NOUVEAU DANS LE CAR, RETOUR À LA MAISON...

CONTENT D'AVOIR EU LE TEMPS DE DIRE AU REVOIR À MON COMPAGNON DE TENTE.

EN FAIT, CETTE SÉPARATION S'EST DÉROULÉE ASSEZ TRISTEMENT... JE N'OUBLIERAI JAMAIS SES DERNIÈRES PAROLES...

"BOUCLE-LA ET FICHE-MOI LA PAIX !"

8-6   Tm. Reg. U. S. Pat. Off.—All rights reserved
© 1971 by United Feature Syndicate, Inc.

PEANUTS

EH BIEN, LE MOMENT EST VENU DE NOUS DIRE AU REVOIR, MONSIEUR...

AVANT QU'ON S'EN AILLE, J'AIMERAIS TE POSER UNE QUESTION, PETITE...

POURQUOI CONTINUES-TU À M'APPELER "MONSIEUR" ALORS QUE JE NE CESSE DE TE DEMANDER D'ARRÊTER ? HEIN ?

8-7

TE RENDS-TU COMPTE À QUEL POINT ÇA PEUT ÊTRE AGAÇANT ?

NON, M'DAME !

Tm. Reg. U. S. Pat. Off.—All rights reserved
© 1971 by United Feature Syndicate, Inc.

105

ASSISTANCE PSYCHIATRIQUE 5¢

HIER MATIN, JE ME SUIS LEVÉ TRÈS TÔT... IMPOSSIBLE DE DORMIR...

LE DOCTEUR EST LÀ

MA CHAMBRE DONNE À L'EST ET J'AI VU LE SOLEIL SE LEVER... SAUF QUE CE N'ÉTAIT PAS LE SOLEIL MAIS UNE ÉNORME BALLE DE BASE-BALL !

JE DOIS CRAQUER... À MON AVIS, JE PERDS LA BOULE... ET PAR-DESSUS LE MARCHÉ, JE ME SENS EFFROYABLEMENT SEUL...

LE DOCTEUR EST LÀ

D'ACCORD... MAINTENANT, DIS-M'EN PLUS SUR CETTE ÉNORME BALLE DE BASE-BALL...

PEANUTS

TOUT CE QUE JE REGARDE RESSEMBLE À UNE BALLE DE BASE-BALL...

ET LA TÊTE COMMENCE À ME DÉMANGER... JE DOIS AVOIR DE L'IMPÉTIGO, QUELQUE CHOSE COMME ÇA...

6-15

TOURNE-TOI, QUE JE REGARDE...

TU DEVRAIS PEUT-ÊTRE CONSULTER TON PÉDIATRE, CHARLIE BROWN !

PEANUTS

OUI, M'DAME, J'AI RENDEZ-VOUS AVEC LE MÉDECIN...

EH BIEN, ÇA A COMMENCÉ UNE NUIT OÙ JE NE TROUVAIS PAS LE SOMMEIL... J'AI VU LE SOLEIL SE LEVER, MAIS CE N'ÉTAIT PAS LE SOLEIL... C'ÉTAIT UNE BALLE DE BASE-BALL !

POURQUOI JE PORTE CE SAC SUR LA TÊTE ? EH BIEN, JE SOUFFRE D'UNE SORTE DE PRURIT, VOYEZ-VOUS, ET...

6-16

DEVONS-NOUS VRAIMENT PARLER DE CELA DEVANT TOUT LE MONDE, MADAME ?

PEANUTS

MERCI DE ME RECEVOIR, DOCTEUR... JE CROIS AVOIR ÉNORMÉMENT BESOIN D'AIDE...

J'AI UNE SORTE D'IMPÉTIGO QUI FAIT RESSEMBLER MON CRÂNE À UNE BALLE DE BASE-BALL...

POURQUOI JE PORTE CE SAC ?

QUELQU'UN A ESSAYÉ DE SIGNER MA TÊTE !

PEANUTS

EH BIEN, DOCTEUR, TOUT A COMMENCÉ UN MATIN AU LEVER DU SOLEIL...

"SAUF QUE CE N'ÉTAIT PAS LUI... MAIS UNE ÉNORME BALLE DE BASE-BALL !"

ENSUITE, ÇA A ÉTÉ LA LUNE, PUIS TOUT S'EST MIS À RESSEMBLER À UNE BALLE DE BASE-BALL... ENSUITE, IL Y A EU CES DÉMANGEAISONS OU JE NE SAIS QUOI... BREF...

EST-CE QUE JE PERDS LA BOULE, DOCTEUR ? SUIS-JE AU BOUT DU ROULEAU ?

PEANUTS

POURQUOI FAIS-TU TES VALISES, GRAND FRÈRE ?

MON MÉDECIN DIT QUE JE DOIS PARTIR EN COLO... QUE ÇA M'ÔTERA LE BASE-BALL DE LA TÊTE.

6-20

JE T'AI VU JOUER... JE N'AI JAMAIS EU L'IMPRESSION QUE TU AVAIS LA TÊTE À ÇA !

MERCI INFINIMENT... À DANS QUINZE JOURS...

TU VAS FAIRE UN MALHEUR EN COLO, AVEC TA TÊTE DANS LE SAC ! !

SCHULZ

PEANUTS

ME REVOICI DANS UN CAR, EN ROUTE POUR LE CAMP DE VACANCES...

POUR QUELQU'UN QUI DÉTESTE CAMPER, J'Y PASSE VRAIMENT BEAUCOUP DE TEMPS... JE N'AI PEUT-ÊTRE PAS CONSULTÉ LE BON MÉDECIN...

C'EST QUELQU'UN QUI CAMPE TOUJOURS SUR SES POSITIONS. IMPOSSIBLE DE LE FAIRE CHANGER D'AVIS. LE CAMPING POUR LUI, C'EST LA PANACÉE !

JE SAIS DÉJÀ CE QUI VA M'ARRIVER... DÈS QUE JE SERAI ASSEZ GRAND POUR NE PLUS ALLER EN COLO, ON M'APPELLERA SOUS LES DRAPEAUX DANS L'INFANTERIE !

6-21

SCHULZ

RESTE PAS PLANTÉ LÀ, PETIT... IL Y A UNE RÉUNION DANS LE BÂTIMENT PRINCIPAL !

TOUT ARRIVE SI VITE EN COLO... JE NE COMPRENDS JAMAIS RIEN À CE QUI SE PASSE...

À QUEL SUJET, CETTE RÉUNION ?

ON DOIT ÉLIRE UN PRÉSIDENT DU CAMP.

J'AI UNE IDÉE GÉNIALE... ET SI ON VOTAIT POUR LE GOSSE AVEC UN SAC SUR LA TÊTE ? !

FÉLICITATIONS, PETIT !

?

OUAIS, BIEN JOUÉ, SAC ! TU VIENS D'ÊTRE ÉLU PRÉSIDENT DU CAMP !

COMPLIMENTS, SAC ! ! !

"SAC" ? !

SALUT, MONSIEUR SAC !

"MONSIEUR SAC" ?

TU TE SOUVIENS... JE T'AVAIS DIT QUE J'AVAIS PERDU MA CHAUSSURE...

EH BIEN, J'AI FAIT COMME TU M'AS DIT... J'AI RE-REGARDÉ SOUS MON LIT DE CAMP... ET ELLE Y ÉTAIT !

VOUS ÊTES UN GRAND PRÉSIDENT, MONSIEUR SAC !

"MONSIEUR SAC" ?

UN PETIT-DÉJ' PAS COCHON, SAC.

J'ÉTAIS LÀ L'AN PASSÉ ET LA NOURRITURE ÉTAIT ÉPOUVANTABLE !

JE PARIE QUE TU LEUR AS REMONTÉ LES BRETELLES ! PAS VRAI, SAC ? QUE TU LEUR AS ORDONNÉ D'AMÉLIORER LA BOUFFE OU DE METTRE LES VOILES ? PAS VRAI ?

T'ES UN FAMEUX PRÉSIDENT DE CAMP, SAC !

PEANUTS

Chers parents, Devinez quoi ? J'ai été élu président du camp !

PARDON, MONSIEUR SAC, MAIS DOIS-JE PARTICIPER AUX SORTIES NATURE OU M'INSCRIRE AU COURS NATATION ?

LA NATATION, BIEN SÛR ! LES SORTIES NATURE C'EST CHOUETTE, MAIS APPRENDRE À NAGER EST UN MUST !

MERCI, MONSIEUR SAC... VOUS ÊTES SUPERMALIN !

6-27

La vie en colo est magnifique.

PEANUTS

IL Y A DES ANNÉES, FRANK WING A FAIT UN DESSIN HUMORISTIQUE SUR LA PÊCHE...

UN GOSSE AIDE SON PAPA À BINER LE JARDIN, QUAND IL S'ÉCRIE : "WOUAH, P'PA, JE PARIE QUE LES POISSONS VONT MORDRE AUJOURD'HUI !" ET SON PÈRE LUI RÉPOND : "OUAIS... ET SI TU RESTES ICI, ILS NE TE MORDRONT PAS !"

TRÈS DRÔLE, MONSIEUR SAC.

J'AI TOUJOURS ADORÉ CE DESSIN.

VOUS ÊTES UN RIGOLO, MONSIEUR SAC.

MERCI.

6-28

113

PEANUTS

? BAGARRE !
BAGARRE !
BAGARRE !

CES GOSSES SE BATTENT !

JE VAIS LES ARRÊTER, SAC !!!

UN JEU D'ENFANT ! JE LEUR AI DIT QUE LE PRÉSIDENT DU CAMP LEUR FERAIT DE GROSSES MISÈRES S'ILS NE CESSAIENT PAS !

6-29

CETTE COLO EST SUPER DEPUIS QUE TU LA DIRIGES, SAC !

PEANUTS

LAQUELLE EST L'ÉTOILE POLAIRE, MONSIEUR SAC ?

6-30

EH BIEN, TU VOIS CES DEUX ÉTOILES AU BOUT DE LA GRANDE CASSEROLE ? SUIS-LES SUR SIX FOIS LEUR DISTANCE ET TU TROUVES L'ÉTOILE POLAIRE...

STUPÉFIANT ! VOUS RENCONTRER AURA ÉTÉ L'EXPÉRIENCE DE MA VIE !

"NUL N'EST PROPHÈTE EN SON PAYS."

QU'AVEZ-VOUS DIT, MONSIEUR SAC ?

SCHULZ

MA TÊTE NE ME DÉMANGE PLUS... L'IMPÉTIGO A PEUT-ÊTRE DISPARU...

DANS CE CAS, JE PEUX PEUT-ÊTRE ÔTER CE STUPIDE SAC... NATURELLEMENT, JE NE SERAI PROBABLEMENT PLUS PRÉSIDENT DU CAMP...

D'UN AUTRE CÔTÉ, JE NE PEUX PAS PORTER CE SAC JUSQU'À MA MORT...

SI JAMAIS J'ENTRAIS DANS UNE ÉPICERIE ET QUE L'EMPLOYÉ SE METTAIT À CRIER : "À EMPORTER !" JE RISQUERAIS DE FINIR DANS LE COFFRE !

7-2

PSST, MONSIEUR SAC... POURQUOI VOUS LEVEZ-VOUS SI TÔT ?

JE VAIS REGARDER LE SOLEIL SE LEVER... SI C'EST LUI, JE SAURAI QUE JE SUIS GUÉRI... SI C'EST UNE BALLE DE BASE-BALL, JE SAURAI QUE MES PROBLÈMES NE SONT PAS FINIS...

IL N'AVAIT PAS DE SAC SUR LA TÊTE ? ? ? ? ! ! ! !

C'EST LUI NOTRE PRÉSIDENT DE CAMP ? ! ?

7-3

PEANUTS

JE DOIS ÊTRE TIMBRÉ...

ASSIS TOUT SEUL DANS LE NOIR, AU MATIN DU 4 JUILLET, À ATTENDRE QUE LE SOLEIL SE LÈVE.

LA VIE EST VRAIMENT BIZARRE... ET DIRE QU'ON NE VIT QU'UNE FOIS...

POURQUOI A-T-IL FALLU QUE CE SOIT CELLE-LÀ ?!

SCHULZ

PEANUTS

LE JOUR SE LÈVE... VOICI LE SOLEIL...

JE NE VEUX PAS VOIR ÇA ! LE SUSPENSE EST INSUPPORTABLE ! MAIS JE DOIS REGARDER ! IL FAUT QUE JE SACHE !! VAIS-JE VOIR LE SOLEIL OU UNE BALLE DE BASE-BALL ? QUE VAIS-JE VOIR ?

7-5

What! Me Worry? *

SEIGNEUR DIEU !

SCHULZ

* Il s'agit d'Alfred E. Newman, la mascotte du journal humoristique *MAD*.

EH, COACH... J'AI UNE SUGGESTION POUR AMÉLIORER L'ÉQUIPE...

CETTE ANNÉE, TU DEVRAIS ME LAISSER PRÉSENTER L'ÉQUIPE À L'ARBITRE.

EN QUOI EST-CE QUE ÇA L'AMÉLIORERA ?

LES ARBITRES NE RÉSISTENT PAS À UNE JOLIE FRIMOUSSE !

POUR VOUS !

J'ESPÈRE QUE ÇA NE TE DÉRANGE PAS...

J'AVAIS BESOIN DE TERRE POUR MA NOUVELLE PLANTE !

ON ESPÈRE QUE ÇA NE T'ENNUIE PAS, CHARLIE BROWN...

J'AVAIS BESOIN DE TERRE POUR MON JARDIN...

J'AVAIS BESOIN DE TERRE POUR NOTRE PELOUSE...

ET MOI POUR MON BAC DE GÉRANIUMS...

PEANUTS

D'ACCORD ! ÉCOUTEZ CECI, MAINTENANT ! !

JE VEUX QUE TOUS CEUX QUI ONT PRÉLEVÉ DE LA TERRE SUR LA BUTTE DU LANCEUR LA RAPPORTENT !

3-19

ET QU'ELLE REDEVIENNE EXACTEMENT COMME AVANT !

ELLE N'ÉTAIT **PAS** COMME ÇA ! ! !

PEANUTS

SEIGNEUR ! LE SCORE EST DE 63 À 0...

NOUS RESTE-T-IL UNE CHANCE DE GAGNER, CHARLIE BROWN ?

SI JAMAIS UN TREMBLEMENT DE TERRE ENGLOUTIT L'ÉQUIPE ADVERSE, ON GAGNERA PEUT-ÊTRE PAR FORFAIT...

PLUTÔT UNE DÉFAITE QU'UNE TELLE VICTOIRE !

3-20

NUL NE POURRA DIRE QUE MES ÉQUIPIERS NE SONT PAS BEAUX JOUEURS !

121

PEANUTS

ZUT !

POURQUOI DEVONS-NOUS TOUJOURS PERDRE LE PREMIER MATCH DE LA SAISON ?

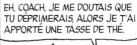

EH, COACH, JE ME DOUTAIS QUE TU DÉPRIMERAIS, ALORS JE T'AI APPORTÉ UNE TASSE DE THÉ.

UNE TASSE DE THÉ ?

OH, ET AUSSI LA BALLE...

※ SOUPIR ※

PEANUTS

LES MATCHS SONT FINIS... TU NE RENTRES PAS ?

NON ! JE VAIS RESTER ALLONGÉ ICI JUSQU'À LA FIN DE MES JOURS !

QUELQU'UN ACHÈTERA PEUT-ÊTRE LE TERRAIN POUR EN FAIRE UN PARKING... JE VAIS RESTER LÀ ET LES LAISSER ME RECOUVRIR D'ASPHALTE !

QUAND LES GENS VIENDRONT SE GARER, ILS SE DEMANDERONT CE QU'EST CETTE BOSSE DANS LE MACADAM, ET CE SERA MOI !!

À DEMAIN, CHARLIE BROWN.

C'EST AINSI QUE JE FINIRAI... UNE SIMPLE BOSSE DANS LE MACADAM !

PEANUTS SI JE RENTRAIS D'UN LONG VOYAGE, TU M'ÉTOUFFERAIS SOUS LES BAISERS ?

NAN !

© 1979 United Feature Syndicate, Inc. 6-23

SI JE VIVAIS À TES CÔTÉS JUSQU'À TA MORT, TU M'ÉTOUFFERAIS SOUS LES BAISERS ?

J'EN DOUTE.

APPAREMMENT, JE N'AI AUCUNE CHANCE DE MOURIR ÉTOUFFÉE SOUS LES BAISERS...

PEANUTS VOICI L'AS DE LA VOLTIGE DE LA PREMIÈRE GUERRE MONDIALE, FENDANT L'AIR AUX COMMANDES DE SON "SOBRE CHAMEAU DU DÉSERT".

6-25

AUJOURD'HUI, IL VOLE AU-DESSUS DES NUAGES.

AU-DESSUS DES NUAGES ?

C'EST TROP TERRIFIANT !

© 1979 United Feature Syndicate, Inc.

123

PEANUTS VOICI L'AS DES AS DE LA GRANDE GUERRE À PARIS...

IL EST ASSIS À UNE PETITE TERRASSE, PRÈS D'UNE JEUNE ET BELLE FRANÇAISE...

QU'IL DOIT IMPRESSIONNER PAR SES MANIÈRES SOPHISTIQUÉES.

PUIS-JE VOIR LA CARTE DES SODAS, S'IL VOUS PLAÎT ?

6-28

PEANUTS VOICI L'AS DES AS DE LA GRANDE GUERRE INVITANT UNE BELLE FRANÇAISE À DÎNER...

POTAGE AU CERFEUIL... CANARD À L'ORANGE...

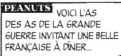

ESCARGOTS... FONDS D'ARTICHAUT... PÂTÉ DE FOIE GRAS... ET BEIGNETS, S'IL VOUS PLAÎT...

UN SODA, S'IL VOUS PLAÎT.

6-29

PEANUTS

VOICI L'AS DES AS DE LA GRANDE GUERRE DISANT AU REVOIR À LA BELLE FRANÇAISE AVANT DE RETOURNER AU FRONT...

SNIF !

NICE ?

IL CHERCHE PROMPTEMENT DANS SON LEXIQUE LES MOTS QUI EXPRIMERONT SES SENTIMENTS...

ZUT !

6-30

© 1979 United Feature Syndicate, Inc.

SCHULZ

PEANUTS TON NOUVEAU GANT EST SUPERBE, LUCY.

7-2

MERCI... COMBIEN DE TEMPS UN GANT DE CETTE QUALITÉ PEUT-IL DURER, À TON AVIS ?

BONG

© 1979 United Feature Syndicate, Inc.

UN BON SIÈCLE !

SCHULZ

126

PEANUTS

J'AI LA TÊTE QUI TOURNE...
JE CROIS QUE JE NE
POURRAI PLUS LANCER...

7-3

QUE SE PASSE-T-IL ?

© 1979 United Feature Syndicate, Inc.

JE SUIS PATRAQUE.

TU AS PROBABLEMENT REÇU TROP DE BALLES PERDUES SUR LE CRÂNE.

JE CROIS QUE JE VAIS RENTRER.

IL A PROBABLEMENT REÇU TROP DE BALLES PERDUES SUR LE CRÂNE.

PEANUTS EST-CE QUE L'UN D'ENTRE VOUS A VU MON GRAND FRÈRE ?

CHARLIE BROWN ? IL NE SE SENTAIT PAS TRÈS BIEN, ALORS IL EST RENTRÉ À LA MAISON.

7-4

IL A PROBABLEMENT REÇU TROP DE BALLES PERDUES SUR LE CRÂNE.

C'EST EXACTEMENT CE QUE J'AI DIT !

© 1979 United Feature Syndicate, Inc.

PEANUTS

GRAND FRÈRE ? OÙ ES-TU ?

ON M'A DIT QUE TU ÉTAIS RENTRÉ PARCE QUE TU NE TE SENTAIS PAS BIEN... OÙ ES-TU ?

JE VAIS VOIR DERRIÈRE... IL EST PEUT-ÊTRE AVEC SON CHIEN...

© 1979 United Feature Syndicate, Inc.

TU N'AURAIS PAS VU TON MAÎTRE ?

LE PETIT GARÇON À LA TÊTE RONDE, TU VEUX DIRE ?

PEANUTS

ALLÔ, SALLY ? J'APPELLE JUSTE POUR SAVOIR COMMENT VA TON FRÈRE...

TU T'IMAGINAIS PEUT-ÊTRE QUE J'ALLAIS CROIRE QUE TU M'APPELAIS POUR M'INVITER AU CINÉMA !

EH BIEN, CE N'EST PAS LE CAS ! ET JE N'IRAIS PAS AU CINÉMA AVEC TOI, MÊME SI TU ME LE DEMANDAIS À GENOUX, NA !

© 1979 United Feature Syndicate, Inc.

ALORS, COMMENT VA-T-IL ?

COMMENT VA QUI ?

128

PEANUTS

HÔPITAL

SILENCE

ENTRÉE DES URGENCES

© 1979 United Feature Syndicate, Inc.

BONJOUR, MADAME ! JE NE VOUDRAIS PAS DÉRANGER, MAIS...

J'AI L'ÉPOUVANTABLE IMPRESSION QUE JE POURRAIS BIEN ÊTRE UNE URGENCE !

7-7

SCHULZ

PEANUTS

J'AI VU LE PANNEAU "ENTRÉE DES URGENCES", ALORS JE SUIS ENTRÉ...

JE NE ME SENS PAS BIEN... J'AI COMME DES VERTIGES...

NON, MON PAPA ET MA MAMAN SONT AU PIQUE-NIQUE DES COIFFEURS ET ÇA NE SERVIRAIT À RIEN QUE JE RENTRE CHEZ MOI...

7-9

NON, M'DAME... JE N'AI PAS REÇU UNE BALLE PERDUE SUR LE CRÂNE.

© 1979 United Feature Syndicate, Inc

SCHULZ

NON, C'EST SALLY... SA SŒUR... IL EST OÙ ?

7-12

© 1979 United Feature Syndicate, Inc.

AU "ACE MEMORIAL HOSPITAL"... TON MAÎTRE EST À L'HÔPITAL !

NON, MES PARENTS SONT AU PIQUE-NIQUE DES COIFFEURS... OUI, JE LEUR DIRAI... COMBIEN DE TEMPS DOIT-IL RESTER À L'HÔPITAL ? IL VA MIEUX ?

EST-CE QUE JE DOIS NOURRIR SON CHIEN ?

ALORS, C'EST DONC ÇA, LA SALLE DE RÉA... ?

7-13

© 1979 United Feature Syndicate, Inc.

JE ME DEMANDE SI JE SUIS EN TRAIN DE MOURIR... ET SI ON ME LE DIRAIT SI C'ÉTAIT LE CAS...

JE ME DEMANDE S'ILS ME LE DIRAIENT, SI JE N'ÉTAIS PAS EN TRAIN DE MOURIR... JE SUIS PEUT-ÊTRE DÉJÀ MORT...

JE ME DEMANDE S'ILS ME LE DIRAIENT...

PEANUTS AU DÉBUT, J'ÉTAIS ENTOURÉ DE MÉDECINS ET D'INFIRMIÈRES... MAINTENANT... PLUS PERSONNE.

QUE SE PASSE-T-IL ? OÙ SONT-ILS PASSÉS ? SERAIS-JE INCURABLE ?

© 1979 United Feature Syndicate, Inc.

JE DOIS ME DÉTENDRE.

7-14

JOE PATIENT.

PEANUTS TU SAVAIS QUE CHARLIE BROWN ÉTAIT À L'HÔPITAL ?

AH BON ?

QUELLE EST LA PREMIÈRE IDÉE QUI TE VIENT QUAND TU APPRENDS QU'UN AMI A ÉTÉ HOSPITALISÉ ?

7-16

JE SUIS RAVIE QUE CE NE SOIT PAS MOI !

© 1979 United Feature Syndicate, Inc.

132

PEANUTS

IL PARAÎT QUE CHUCK EST À L'HÔPITAL, MONSIEUR.

JE SAIS, MARCIE ! J'ESSAIE DE TROUVER LE MOYEN DE LUI ENVOYER DES FLEURS.

7-17

LE PLUS SIMPLE, C'EST DE LES LUI ENVOYER PAR TÉLÉPHONE...

ELLE SE PAIE MA TÊTE !

PEANUTS

Cher grand frère, J'espère que tu te sens mieux.

7-18

Tout va bien à la maison. J'ai emménagé dans ta chambre.

Ne t'inquiète pas pour tes affaires.

On a fait un malheur aux puces.

133

PEANUTS JE ME FAIS DU SOUCI POUR CE MALHEUREUX CHARLIE BROWN, QUI EST HOSPITALISÉ...

© 1979 United Feature Syndicate, Inc.

IL FAUT QU'IL GUÉRISSE ! IL LE FAUT ! OH, BOUHHHOUHOUU ! * SANGLOT *

CURIEUX DE TE VOIR PLEURER SUR SON SORT, ALORS QUE TU ES TOUJOURS SI MÉCHANTE AVEC LUI !

7-19

ET CESSE D'ÉPONGER TES LARMES AVEC MON PIANO !

PEANUTS NOUS SOMMES TROP JEUNES POUR RENDRE VISITE À CHARLIE BROWN ? ZUT !

HORAIRE DES VISITES

ALORS, ON VA TRAVERSER LA RUE, S'ASSEOIR SUR UN BANC DANS LE PARC ET REGARDER SA CHAMBRE !

IL EST DE NOTORIÉTÉ PUBLIQUE, MARCIE, QU'UN MALADE SE RÉTABLIT PLUS VITE LORSQU'IL SAIT QU'UN AMI REGARDE SA CHAMBRE...

7-20

VOUS AURIEZ DÛ FAIRE MÉDECINE, MONSIEUR.

© 1979 United Feature Syndicate, Inc.

PEANUTS

LA LUMIÈRE DE LA CHAMBRE DE CHUCK VIENT DE S'ÉTEINDRE, MARCIE.

IL A DÛ S'ENDORMIR, MONSIEUR.

DORS BIEN, CHUCK !

ESPÉRONS QUE TU IRAS MIEUX DEMAIN !

TU NOUS MANQUES, CHUCK !

ON T'AIME, CHUCK !

VRAIMENT ?

ON T'AIME, CHUCK !!

PEANUTS

TON MAÎTRE EST TOUJOURS À L'HÔPITAL... JE VAIS DONC DEVOIR TE NOURRIR MOI-MÊME.

SI JE ME COUPE LE DOIGT AVEC L'OUVRE-BOÎTES, JE TE FAIS UN PROCÈS !

ET ALORS ?

UNE AFFAIRE COMME CELLE-LÀ PEUT TRAÎNER PENDANT DES ANNÉES.

'PEANUTS' JE M'INQUIÈTE TANT POUR CHARLIE BROWN QUE J'EN PERDS L'APPÉTIT ET LE SOMMEIL...

SI TU TOMBES MALADE AUSSI, ÇA NE L'AIDERA PAS...

PEUT-ÊTRE QU'IL IRAIT MIEUX S'IL APPRENAIT QU'IL CAUSE MA PERTE...

JE DEVRAIS PEUT-ÊTRE LUI ENVOYER UNE LETTRE DE MENACES.

'PEANUTS' Cher grand frère, comment ça se passe à l'hôpital ? Ici, tout va bien.

Je nourris ton crétin de chien tous les soirs, bien qu'il ne m'en remercie jamais.

SMACK!

Enfin, presque jamais.

"PEANUTS" JE VIENS DE PARLER À LA MAMAN DE CHARLIE BROWN... IL NE VA PAS MIEUX.

IL NE VA PAS MIEUX ? C'EST DINGUE ! IL FAUT QU'IL AILLE MIEUX ! !

7-26

C'EST VRAIMENT LE MONDE À L'ENVERS, SI QUELQU'UN COMME CHARLIE BROWN PEUT TOMBER MALADE ET NE PAS SE RÉTABLIR ! !

IL FAUT QUE JE **FRAPPE** QUELQU'UN ! !

© 1979 United Feature Syndicate, Inc.

SCHULZ

"PEANUTS" JE SAIS QUE TU NE M'ENTENDS PAS, CHARLIE BROWN... MAIS JE VEUX TE FAIRE UNE PROMESSE...

7-27

SI TU GUÉRIS, JE TE DONNE MA PAROLE QUE JE NE RETIRERAI PLUS JAMAIS LE BALLON !

ÇA, C'EST UNE PROMESSE.

JE PARIE QU'IL SE SENT DÉJÀ MIEUX !

© 1979 United Feature Syndicate, Inc.

137

PEANUTS

METTONS ÇA AU CLAIR.

SI CHARLIE BROWN SE PORTE MIEUX, TU PROMETS DE NE PLUS JAMAIS RETIRER LE BALLON DE FOOT ! C'EST BIEN ÇA ?

7-28

C'EST UNE PROMESSE SOLENNELLE !

IL NE PEUT QU'ALLER BIEN, MAINTENANT... IL A UNE RAISON DE VIVRE !

© 1979 United Feature Syndicate, Inc.

PEANUTS

TOC TOC TOC

7-30

CHARLIE BROWN ! TU ES REVENU !! TU ES GUÉRI !!

J'AI EU VENT D'UNE CERTAINE PROMESSE...

OH, BONTÉ DIVINE !

'PEANUTS' United Feature Syndicate, Inc.

ARRGH!

MON DOIGT ! MA MAIN ! MON BRAS !

?

TU AS RATÉ LE BALLON, GROS DÉBILE ! TU AS SHOOTÉ DANS MON DOIGT ! DANS MA MAIN !!

AÏE ! OUILLE AÏE !

?

'PEANUTS' J'AI TENU MA PROMESSE, NON ? JE N'AI PAS RETIRÉ LE BALLON.

C'EST VRAI... TU NE L'AS PAS RETIRÉ.

© 1979 United Feature Syndicate, Inc.

MAIS JE L'AI RATÉ ET J'AI SHOOTÉ DANS TA MAIN... JE NE SAIS QUE DIRE... QU'EST-CE QUE JE PEUX FAIRE ?

8-3

LA PROCHAINE FOIS QUE TU VAS À L'HÔPITAL... RESTES-Y !

EH, CHUCK, VIENS VOIR CE QUE MON PAPA M'A OFFERT POUR MON ANNIVERSAIRE...

DES ROSES... WOUAH !

ET TU SAIS CE QU'IL A DIT ?

IL A DIT QUE JE GRANDISSAIS VITE, QUE JE SERAIS BIENTÔT UNE BELLE JEUNE FEMME ET QUE TOUS LES GARÇONS ME COURRAIENT APRÈS... ET QU'IL VOULAIT DONC ÊTRE LE TOUT PREMIER À M'OFFRIR UNE DOUZAINE DE ROSES !

ET QUE J'ÉTAIS UNE "PIERRE PRÉCIEUSE".

TON PAPA T'AIME BEAUCOUP... BON ANNIVERSAIRE...

JE ME SENS SOUDAIN TRÈS FÉMININE !

141

SILENCE

LES NANAS FLANCHENT SUR LES COLS ROULÉS.

VOICI JOE COOL, TRAÎNANT AUTOUR DU DORTOIR UN DIMANCHE APRÈS-MIDI.

9-12

JE DEVRAIS PEUT-ÊTRE ALLER AU SYNDICAT ÉTUDIANT, VOIR CE QUI SE PASSE.

VOICI JOE COOL TRAÎNANT AUTOUR DU SYNDICAT ÉTUDIANT, EN QUÊTE D'ACTION.

ON REDONNE "CITIZEN KANE"... JE NE L'AI VU QUE 23 FOIS...

Tm. Reg. U. S. Pat. Off.—All rights reserved
© 1971 by United Feature Syndicate, Inc.

ALLONS VOIR S'IL Y A DU PEUPLE À LA BIBLIOTHÈQUE.

ZUT... PAS UNE FILLE ! ET SI J'ALLAIS FAIRE QUELQUES PANIERS AU GYMNASE ?

SI SEULEMENT J'AVAIS UNE BAGNOLE, JE POURRAIS TRAÎNER UN MOMENT... ALLER FAIRE UN TOUR, PEUT-ÊTRE, JUSQU'À L'EXPO DE GÉOLOGIE... ?

JE RIGOLE... PAS QUESTION DE RETOURNER ADMIRER CES CAILLOUX !

TIENS, UN GARS AVEC DEUX NANAS... COMMENT FAIT-IL ?

LES FEUILLES COMMENCENT À TOMBER... LE SOLEIL EST CHAUD, MAIS IL FAIT FRISQUET À L'OMBRE.

JE ME DEMANDE COMMENT ÇA VA CHEZ MOI... JE DEVRAIS PEUT-ÊTRE RETOURNER ÉCRIRE QUELQUES LETTRES AU DORTOIR...

SOUPIR JOE COOL HAÏT LES DIMANCHES APRÈS-MIDI...

SCHULZ

142

UN "C" ? J'AI EU UN "C" POUR MA SCULPTURE EN FIL DE FER ?

COMMENT PEUT-ON DÉCROCHER LA NOTE "C" POUR UNE SCULPTURE FAITE AVEC UN CINTRE ?

JE DEVRAIS PEUT-ÊTRE POSER LA QUESTION ?

M'A-T-ON JUGÉE SUR L'ŒUVRE ELLE-MÊME ? SI C'EST LE CAS, NE DIT-ON PAS QUE, SEUL LE TEMPS PERMET D'ÉVALUER UNE ŒUVRE D'ART ?

3-26

OU BIEN M'A-T-ON JUGÉE SUR MON TALENT ? SI C'EST LE CAS, COMMENT PEUT-ON ME JUGER SUR UN ASPECT DE MA PERSONNALITÉ QUE JE NE CONTRÔLE PAS ?

SI L'ON M'A JUGÉE SUR MON TRAVAIL, CE JUGEMENT EST INIQUE, CAR J'AI FAIT DE MON MIEUX.

M'A-T-ON JUGÉE SUR CE QUE J'AI PU APPRENDRE À PROPOS DE CE PROJET ? AUQUEL CAS N'EST-CE PAS AUSSI VOUS, MA MAÎTRESSE, QUI DEVRIEZ ÊTRE JUGÉE SUR VOS CAPACITÉS À TRANSMETTRE UN SAVOIR ? CONSENTEZ-VOUS À PARTAGER CE "C" AVEC MOI ?

PEUT-ÊTRE AI-JE ÉTÉ JUGÉE SUR LA QUALITÉ INTRINSÈQUE DU CINTRE QUI M'A SERVI À CRÉER MON ŒUVRE... N'EST-CE PAS ALORS TOUT AUSSI INJUSTE ?

AI-JE ÉTÉ JUGÉE SUR LA QUALITÉ DES CINTRES QUE LA TEINTURERIE UTILISE POUR SUSPENDRE LES VÊTEMENTS NETTOYÉS ? LA RESPONSABILITÉ N'EN INCOMBE-T-ELLE POINT À MES PARENTS ? NE DEVRAIENT-ILS PAS PARTAGER CE "C" AVEC MOI ?

"IL FAUT GRAISSER LÀ OÙ ÇA GRINCE !"

143

TOUT M'ENNUIE, CES TEMPS-CI !

QUE VEUX-TU DIRE ?

C'EST QUOI POUR TOI LA SÉCURITÉ, CHUCK ?

LA SÉCURITÉ ?

DORMIR SUR LA BANQUETTE ARRIÈRE DE LA VOITURE...

QUAND ON EST PETIT, QU'ON S'EST RENDU QUELQUE PART EN VOITURE AVEC SON PÈRE ET SA MÈRE, QU'ON RENTRE À LA NUIT TOMBÉE ET QU'ON PEUT DORMIR À L'ARRIÈRE...

ON N'A AUCUN SOUCI À SE FAIRE... PAPA ET MAMAN SONT LÀ, SUR LE SIÈGE AVANT... ILS VEILLENT À TOUT... SE FONT DU MOURON À VOTRE PLACE...

C'EST CHOUETTE !

MAIS ÇA NE DURE PAS ! BIENTÔT ON EST GRAND, ET ÇA NE SERA PLUS JAMAIS LA MÊME CHOSE !

SOUDAIN, C'EST FINI : ON NE DORMIRA PLUS JAMAIS SUR LE SIÈGE ARRIÈRE ! PLUS JAMAIS !

JAMAIS ?

JAMAIS PLUS !

TIENS-MOI LA MAIN, CHUCK ! !

144

UN DES MEILLEURS FILMS QUE J'AIE JAMAIS VUS, À MON AVIS...

JE SAVAIS QU'IL TE PLAIRAIT.

SLURP !

ENSUITE, ON EST ALLÉ VISITER UNE GALERIE D'ART ET ON A ADMIRÉ TOUTES CES PEINTURES MODERNES COMPLÈTEMENT DINGUES...

CERTAINES ÉTAIENT IMMENSES, BIEN SÛR...

IL Y EN AVAIT UNE DANS TOUTES LES NUANCES DE ROUGE...

SLURP !

8-20

J'AIME BIEN LE ROUGE, NATURELLEMENT, MAIS JE NE SUIS PAS CERTAINE DE L'AIMER À CE POINT ET...

SLURP !

SALUT ! ON BOIT DE LA LIMONADE, À CE QUE JE VOIS ! JE PEUX EN AVOIR UNE GORGÉE ?

NE SOIS PAS STUPIDE ! !

SLURP !

TU CROIS QUE J'AI ENVIE DE BOIRE AVEC LA MÊME PAILLE QUE TOI ?! DÉGAGE !

QUOI QU'IL EN SOIT, IL Y AVAIT DE TRÈS BEAUX TABLEAUX ET...

SLURP !

TU SAIS, CE N'EST PAS FACILE DE TE PARLER QUAND TU FAIS TOUTES CES GRIMACES...

145

QUESTION N°1...

VRAI !

ENCORE VRAI ! FAUX !

VRAI, PARBLEU ! ET FAUX, VRAI ET VRAI !

ENCORE FAUX ! ! AUCUN DOUTE !

VRAI ! ÇA, C'EST RIGOUREUSEMENT VRAI !

FAUX ! FAUX ! FAUX ! VRAI !

OH, ALORS LÀ, COMPLÈTEMENT FAUX !

VRAI ! FAUX ! VRAI ! FAUX ! VRAI ! FAUX !

VRAI, PARBLEU ! VRAI !

PSST ! PATTY !

HEIN ? QUOI ? QU'EST-CE QU'IL Y A ? QUOI ?

TU DEVENAIS UN PEU BRUYANTE...

COMME C'EST EMBARRASSANT.

ON SE LAISSE FACILEMENT EMPORTER, AVEC CES TESTS VRAI/FAUX...

ACTUELLEMENT
À L'ÉCRAN

"LA VIE
CONTINUE !"

TU CROIS QUE LES CHOSES CHANGERONT QUAND ON GRANDIRA, CHUCK ?

2-18

EH BIEN, MON PAPA M'A PARLÉ DE CE TRÈS JOLI CINÉMA QUI SE TROUVAIT DANS LE QUARTIER DE SON ENFANCE...

QUAND IL ÉTAIT TOUT PETIT, IL LUI PARAISSAIT GIGANTESQUE, MAIS, PLUS IL GRANDISSAIT, PLUS LE CINÉMA RÉTRÉCISSAIT...

© 1973 by United Feature Syndicate, Inc.

RÉTRÉCISSAIT ? COMMENT UN CINÉMA POURRAIT-IL RÉTRÉCIR ?

TU ESSAIES DE ME LA JOUER PHILOSOPHIQUE, CHUCK ?

PEUT-ÊTRE QUE LE CINÉMA RETROUVE SA TAILLE NORMALE LORSQU'ON DEVIENT VRAIMENT VIEUX...

LES FILLES N'AIMENT PAS LES GARÇONS QUI SE LA JOUENT PHILOSOPHIQUE, CHUCK...

JE RENTRE À LA MAISON. J'AI L'IMPRESSION QUE NOTRE JARDIN EST EN TRAIN DE RÉTRÉCIR...

SCHULZ

147

J'AIMERAIS SAVOIR UNE CHOSE...

TU PENSES TE MARIER UN JOUR, CHUCK ?

OH, J'IMAGINE... TOUT LE MONDE OU PRESQUE SE MARIE...

QUEL GENRE DE FILLE AIMERAIS-TU ÉPOUSER ?

EH BIEN, JE DÉTESTE PARLER DE TOUT ÇA, PARCE QUE ÇA A L'AIR IDIOT, MAIS J'AIMERAIS UNE FILLE QUI M'APPELLE SON "PAUVRE PETIT BÉBÉ CHÉRI".

SON "PAUVRE PETIT BÉBÉ CHÉRI" ?

OUAIS !

QUI SE PELOTONNE CONTRE MOI QUAND JE ME SENS FATIGUÉ OU DÉPRIMÉ, QUI M'EMBRASSE ET QUI ME MURMURE "MON PAUVRE PETIT BÉBÉ CHÉRI" À L'OREILLE !

4-8

LAISSE TOMBER, CHUCK... ÇA N'ARRIVERA JAMAIS !

SMACK !

MON PAUVRE PETIT BÉBÉ CHÉRI !

ENCORE UN MATCH AUJOURD'HUI... SI ON GAGNE, ON NE SERA PLUS QU'À DIX PARTIES DE LA SEPTIÈME PLACE....

POURQUOI METS-TU TOUJOURS TA CHAUSSURE GAUCHE EN PREMIER, CHUCK ?

EH BIEN, D'HABITUDE, JE NE LE FAIS PAS... SAUF LES JOURS OÙ ON A UN MATCH DE BASE-BALL....

UNE ESPÈCE DE SUPERSTITION, JE CROIS... LES JOUEURS DE BASE-BALL SONT BOURRÉS DE SUPERSTITIONS.

QUE SE PASSERAIT-IL SI TU NE LE FAISAIS PAS ?

EUH... ON PERDRAIT PROBABLEMENT LE MATCH.

VOUS AVEZ DÉJÀ GAGNÉ ?

OÙ EST NOTRE LANCEUR ?

J'EN SAIS RIEN... JE NE L'AI PAS VU...

!?

JE NE COMPRENDS PAS... LA PARTIE VA COMMENCER ET TU ES ENCORE ASSIS DANS TA CHAMBRE EN CHAUSSETTES !

QU'EST-CE QUE TU REGARDES ?

"CITIZEN KANE".

JE L'AI VU AU MOINS DIX FOIS.

C'EST LA PREMIÈRE FOIS...

12-9

"ROSEBUD", C'ÉTAIT SA LUGE !

AARGH!!

SCHULZ

VOICI LE FAMEUX CHEF SCOUT BEAGLE CONDUISANT SA TROUPE EN RANDONNÉE DANS LA NATURE...

ON VA SE SÉPARER ICI... CHACUN IRA DE SON CÔTÉ ET ON SE RETROUVERA AU MÊME ENDROIT DANS TROIS QUARTS D'HEURE.

ÇA LEUR APPRENDRA LA DÉBROUILLARDISE.

CES TROIS QUARTS D'HEURE ONT VITE PASSÉ !

ON VA REMETTRE ÇA, POUR LA PEINE !!

ET JE NE VEUX PLUS PERSONNE DANS LES PATTES !

JE NE SAIS JAMAIS CE QUI SE PASSE !

?

D'ACCORD, CHARLIE BROWN... PASSONS AU BATTEUR SUIVANT...

OÙ EST LA BALLE ?

JE NE PEUX PAS LANCER SANS LA BALLE !

PAS SI FORT, DÉBILE !

8-18

QUE SE PASSE-T-IL ?

MOINS FORT... ON LEUR FAIT LE VIEUX COUP DE LA BALLE CACHÉE !

NOUS ? QUI A LA BALLE ?

JE L'AI CACHÉE DANS LE TIROIR DU HAUT DE MA COMMODE !

152

JE VIENS D'INVENTER UN TOUT NOUVEL EXERCICE...

À RAISON DE CINQUANTE FOIS PAR JOUR...

C'EST BON POUR LE COU...

LE DOS...

ET LES PATTES...

FLOP!

MAIS RAVAGEUR POUR LE RESTE...

BONG !

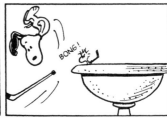

FAUTE ! FAUTE !

EN FAIT, C'ÉTAIT UN COUP PARFAITEMENT AUTORISÉ, MAIS PAS QUESTION DE LE RECONNAÎTRE !

154

DEMAIN, C'EST LA SAINT-VALENTIN.

JE TROUVE QU'ON SE FAIT BEAUCOUP DE FAUSSES IDÉES SUR CETTE FÊTE.

C'EST UNE ERREUR DE CROIRE QU'IL FAUT AIMER UNE PERSONNE À LA FOLIE POUR LUI FAIRE UN CADEAU...

FAUT-IL L'AIMER AU MOINS UN PETIT PEU ?

NON, PAS NÉCESSAIREMENT...

ET SI ON SE CONTENTE DE BIEN L'AIMER ?

C'EST SUFFISANT...

2-13

ET SI ON PEUT À PEINE LA SUPPORTER ?

EH BIEN, JE PENSE, MAIS...

JOYEUSE SAINT-VALENTIN !

QUAND ON S'ASSOIT SUR UN BANC DANS LE JARDIN FACE À LA CHAMBRE D'HÔPITAL ET QU'ON FIXE LA FENÊTRE DU MALADE, SON ÉTAT S'AMÉLIORE...

PAUVRE CHUCK... ÇA ME FAIT DE LA PEINE DE LE SAVOIR ALLONGÉ DANS CETTE CHAMBRE D'HÔPITAL.

VOUS AIMEZ BIEN CHUCK, HEIN, MONSIEUR ?

EH BIEN, JE... VOIS-TU... JE ME SENS UN PEU... TU SAIS... IL... JE... IL...

J'ADORE CHUCK ! JE LE TROUVE TRÈS CHOUETTE !

TRÈS CHOUETTE ? TU LE TROUVES TRÈS CHOUETTE ?

ET COMMENT ! J'ESPÈRE QU'IL M'INVITERA AU BAL DU LYCÉE UN JOUR !

EN FAIT, S'IL ME LE DEMANDAIT, JE L'ÉPOUSERAIS !

SUIS-MOI, MARCIE.

© 1979 United Feature Syndicate, Inc.

C'EST BIEN ICI L'ENTRÉE DES URGENCES, MADAME ? NOUS SOMMES DES AMIES DE CHARLES BROWN.

J'AI UNE AUTRE PATIENTE À VOUS CONFIER... À MON AVIS, ELLE EST ENCORE PLUS MALADE QUE LUI !

7-22

SCHULZ

by
CHARLES M. SCHULZ

Les années quatre-vingt

'PEANUTS'

Compte rendu de la sortie.

On a pris un car et visité un salon de coiffure et un lavage de voitures...

11-10

Les sorties sur le terrain sont très éducatives.

Une par an, ça suffit largement.

SCHULZ

'PEANUTS' TRÈS BIEN, LES GARS... RÉPONDEZ À L'APPEL DE VOTRE NOM... WOODSTOCK ! BILL ! CONRAD ! OLIVIER !

5-12

HARRIET ? QUI EST HARRIET ?

!!

ET PUIS-JE SAVOIR POURQUOI HARRIETT DEVRAIT ÊTRE INVITÉE À SE JOINDRE À NOUS ?

D'ACCORD ! QUICONQUE APPORTE UN GÂTEAU DE SAVOIE AVEC UN GLAÇAGE DE SEPT MINUTES EST TOUJOURS LE BIENVENU !

SCHULZ

PEANUTS LORS D'UNE RANDONNÉE DANS LA NATURE COMME CELLE-CI, IL EST ESSENTIEL D'APPRENDRE À RECONNAÎTRE LES PLANTES ET LES FLEURS.

HARRIET, TU ES UNE FILLE... LES FILLES AIMENT LES FLEURS... QUELLE ESPÈCE DE FLEUR EST-CE LÀ ?

© 1980 United Feature Syndicate, Inc.

5-13

"COMMENT LE SAURAIS-JE ?" AU MOINS, C'ÉTAIT UNE RÉPONSE FRANCHE...

PEANUTS ARRIVÉS AU SOMMET DE CETTE COLLINE, NOUS MANGERONS LE GÂTEAU DE SAVOIE QUE HARRIET A APPORTÉ !

QUOI ?

POURQUOI NE PEUT-ON PAS LE MANGER AU SOMMET DE CETTE COLLINE ?

© 1980 United Feature Syndicate, Inc.

"PARCE QUE HARRIET L'A MANGÉ AU PIED DE LA COLLINE !"

5-14

"PEANUTS"

JE N'AI RIEN CONTRE LE FAIT QU'UNE FILLE FASSE PARTIE DU GROUPE...

ÇA LUI FERA SANS DOUTE DU BIEN.

TÔT OU TARD, ELLE APPRENDRA À QUEL POINT CES RANDONNÉES PEUVENT ÊTRE ÉPUISANTES.

5-15

HARRIET ! ATTENDS LES AUTRES !

© 1980 United Feature Syndicate, inc.

"PEANUTS"

© 1980 United Feature Syndicate, inc.

JE NE SUIS PAS SÛR QU'ON AIT PRIS LA BONNE DIRECTION.

ET SI UN VOLONTAIRE GRIMPAIT AU FAÎTE D'UN ARBRE POUR ESSAYER DE VOIR OÙ ON VA ?

5-16

HARRIET ? D'ACCORD, GRIMPE LE PLUS HAUT POSSIBLE ET DIS-NOUS CE QUE TU VOIS...

EN FAIT, HARRIET, J'ESPÉRAIS QUE TU MONTERAIS LÉGÈREMENT PLUS HAUT QUE ÇA...

VRAIMENT ? CONTENT QUE LA RANDONNÉE T'AIT PLU, HARRIET... NOUS ÉTIONS RAVIS DE T'AVOIR AVEC NOUS...

OH, NON... TU N'AS PAS BESOIN DE FAIRE ÇA...

5-17

BON, SI TU Y TIENS...

NUL CHEF SCOUT NE SAURAIT RÉSISTER À UN GÂTEAU DE SAVOIE AVEC UN GLAÇAGE DE SEPT MINUTES !

NAPOLÉON PARLAIT DU "COURAGE DE DEUX HEURES DU MATIN".

5-22

SCOTT FITZGERALD A ÉCRIT : "DANS LA VÉRITABLE NUIT NOIRE DE L'ÂME, IL EST TOUJOURS TROIS HEURES DU MATIN."

MAIS, QUAND ON DOIT SE LEVER À SEPT HEURES ET QU'ON N'A TOUJOURS PAS COMMENCÉ LA RÉDACTION D'ANGLAIS QU'ON DOIT RENDRE LE MATIN MÊME...

SIX HEURES CINQUANTE-NEUF EST LE PIRE MOMENT DE LA JOURNÉE !

LA RÉPONSE EST ONZE MILLIONS NEUF CENT SOIXANTE-CINQ MILLE CENT CINQUANTE-SEPT, MADAME !

ERREUR, MONSIEUR... LA RÉPONSE EST "DEUX".

DEUX ? !

5-23

RATÉ DE PEU MAIS RATÉ QUAND MÊME, HEIN, M'DAME ?

5-24

!

IL EST TOUJOURS EMBARRASSANT D'INTERROMPRE UN CONSEIL D'ADMINISTRATION...

PEANUTS

DES GUIMAUVES ? C'EST VOTRE REPAS, MONSIEUR ? UN SACHET DE GUIMAUVES ?

J'ÉTAIS PRESSÉE CE MATIN, MARCIE, ET C'EST TOUT CE QUE J'AI TROUVÉ DANS LA CUISINE...

5-26

ENFIN, J'AVAIS UN AUTRE CHOIX, JE CROIS.

LEQUEL, MONSIEUR ?

DES GLAÇONS !

PEANUTS

C'EST QUOI, CHARLIE BROWN ?

OH, UN TROPHÉE QUE J'AI REMPORTÉ VOILÀ UN AN OU DEUX.

5-27

ÇA NE PÈSE PAS BIEN LOURD...

C'ÉTAIT UNE MAIGRE VICTOIRE.

RÉVEILLÉE ? OUI, M'DAME, JE SUIS RÉVEILLÉE !

POURQUOI ME CROYAIT-ELLE ENDORMIE, MARCIE ?

VOICI L'AS DES AS DE LA DER DES DERS FENDANT LES AIRS À BORD DE SON "SOBRE CHAMEAU DU DÉSERT"...

CES PAUVRES TROUFIONS TAPIS DANS LEURS TRANCHÉES ME HAÏSSENT.

ILS CROIENT QUE JE ME LA COULE DOUCE LÀ-HAUT...

CE N'EST PAS UN 747, FIGUREZ-VOUS !

165

PEANUTS L'AS DES PILOTES DE LA GRANDE GUERRE N'A CURE DE LA RENOMMÉE ET DE LA GLOIRE...

SON SEUL SOUHAIT EST DE FAIRE SON DEVOIR, SERVIR AVEC HONNEUR ET MÉRITER PEUT-ÊTRE LE QUALIFICATIF DE "GRAND HOMME".

3-11

GRAS!

GRAND!!

PEANUTS QUE FAIS-TU DEBOUT DE SI BON MATIN?

JE DOIS TERMINER MON EXPOSÉ...

SI JE NE LE RENDS PAS AUJOURD'HUI, JE SUIS CUITE!

VOICI L'AS DE LA VOLTIGE DE LA PREMIÈRE GUERRE MONDIALE FONDANT SUR LES LIGNES ENNEMIES... SA MISSION : RAPPORTER LES DOCUMENTS SECRETS... SOUDAIN, IL LA VOIT...

LA SECRÉTAIRE DU BARON ROUGE!

3-12

'PEANUTS'

LA FORTUNE SOURIT À L'AS DE LA VOLTIGE...

3-13

LA SECRÉTAIRE DU BARON ROUGE DÉTIENT LES DOCUMENTS SECRETS...

© 1991 United Feature Syndicate, Inc.

EH ! QU'EST-CE QUE TU FABRIQUES ? C'EST MON EXPOSÉ !!!

NULLEMENT MYSTIFIÉ PAR LES CRIS DE LA FILLE, L'AS DE LA VOLTIGE S'ENFUIT À TIRE-D'AILE !

SCHULZ

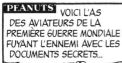

'PEANUTS' VOICI L'AS DES AVIATEURS DE LA PREMIÈRE GUERRE MONDIALE FUYANT L'ENNEMI AVEC LES DOCUMENTS SECRETS...

ESPÈCE DE CRÉTIN DE BEAGLE ! RENDS-MOI MON EXPOSÉ !

CONSCIENT QU'IL VA ÊTRE PRIS, EN DÉSESPOIR DE CAUSE...

3-14

... IL AVALE LES DOCUMENTS !

ARRGH !

© 1991 United Feature Syndicate, Inc.

SCHULZ

PEANUTS

TU AS REÇU UNE CARTE DE WOODSTOCK.

3-18

DE WOODSTOCK ? JE NE SAVAIS MÊME PAS QU'IL ÉTAIT PARTI...

"CHER AMI D'AMIS, AI MIS LE CAP SUR SAN JUAN CAPISTRANO POUR ASSISTER AU RETOUR DES HIRONDELLES..."

" T'ÉCRIRAI PLUS LONGUEMENT PLUS TARD... TON AMI, WOODSTOCK – P.-S.: OÙ SE TROUVE CAPISTRANO ?"

PEANUTS TU SAIS QUEL JOUR ON EST ? CELUI OÙ LES HIRONDELLES RETOURNENT À CAPISTRANO...

ET SI ON N'EST PAS UNE HIRONDELLE ?

3-19

ALORS, ON SE RETROUVE PROBABLEMENT AILLEURS.

NEEDLES
ALT.
175 MÈTRES

169

'PEANUTS' TU N'ES PAS UNE HIRONDELLE ?

C'EST VRAI... SI TU EN ÉTAIS UNE, TU SERAIS RETOURNÉ HIER À CAPISTRANO.

MAIS, EN CE CAS, TU AURAIS DÛ PASSER TOUT L'ÉTÉ À LA MISSION...

3-20

TU M'AURAIS MANQUÉ !

'PEANUTS' TU SAIS CE QUI M'ÉTONNE ?

QUE TU N'AIES PAS EU LE COUP DE FOUDRE POUR MOI DÈS L'INSTANT OÙ TU M'AS VUE...

3-21

LA VIE EST PLEINE DE SURPRISES.

170

PEANUTS EH, CHUCK, TU AIMERAIS SOUTENIR MON ÉQUIPE CETTE ANNÉE ?

TU VEUX DIRE QUE TU ME PRENDS COMME LANCEUR ? !

© 1981 United Feature Syndicate, Inc.

3-23

NON. ON ESSAIE DE COLLECTER DES FONDS ET IL NOUS FAUDRAIT QUELQU'UN POUR VENDRE DU POP-CORN...

C'ÉTAIT DINGUE, GRAND FRÈRE... J'AI ENTENDU TA MÂCHOIRE SE DÉCROCHER DEPUIS LA PIÈCE DU FOND !

PEANUTS D'ACCORD, CHUCK. ON VEUT QUE TU VENDES DU POP-CORN À TOUS CEUX QUI VIENNENT ASSISTER AU MATCH...

POPCORN

VOUS AVEZ DES SPECTATEURS ?

BIEN ENTENDU, CHUCK... QU'EST-CE QUE TU CROYAIS ?

3-24

PERSONNE N'ASSISTE À NOS MATCHS...

QUOI QU'IL EN SOIT, CHUCK, DÉBROUILLE-TOI... VENDS TOUT CE POP-CORN...

POPCORN

TU ES SÛRE DE NE PAS VOULOIR QUE JE LANCE ?

VENDS TON POP-CORN, CHUCK !

© 1981 United Feature Syndicate, Inc.

171

POP-CORN ! POP-CORN ! DEMANDEZ LE POP-CORN ! QUI N'A PAS SON POP-CORN ?

3-25

PROFITEZ DAVANTAGE DU MATCH AVEC UN PAQUET DE POP-CORN ! ACHETEZ ICI VOTRE POP-CORN !

VOILÀ, MADAME... VINGT-CINQ CENTS... MERCI... BON MATCH...

© 1981 United Feature Syndicate, Inc.

PROFITEZ BIEN DE CE MATCH AUQUEL JE NE PARTICIPE PAS PARCE QUE JE VENDS DU POP-CORN ! POP-CORN ! QUI N'A PAS SON POP-CORN ?

QU'EST-CE QUE TU FICHES ICI, CHUCK ?

© 1981 United Feature Syndicate, Inc.

3-26

UNE DAME DANS LES TRIBUNES S'EST PLAINTE QU'IL N'Y AVAIT PAS ASSEZ DE BEURRE DANS LE POP-CORN...

C'EST TON PROBLÈME, CHUCK... MOI, JE JOUE !

TU N'AURAIS PAS BESOIN D'UN LANCEUR ?

VENDS TON POP-CORN, CHUCK !

SOUPIR

172

PEANUTS QUE FAIS-TU ASSIS SUR LE BANC DE TOUCHE, CHUCK ? TU ES CENSÉ VENDRE DU POP-CORN !

JE ME SUIS DIT QUE TU AURAIS PEUT-ÊTRE BESOIN D'UN LANCEUR REMPLAÇANT...

TOUT CE QU'ON TE DEMANDE, C'EST DE VENDRE TON POP-CORN, CHUCK !

3-27

MAIS... MAIS VA VENDRE CE POP-CORN, CHUCK !

NÉANMOINS... NÉANMOINS, VA VENDRE CE POP-CORN, CHUCK !

© 1981 United Feature Syndicate, Inc.

PEANUTS OÙ EN EST LE SCORE ! SI TU VEUX QUE JE LANCE, JE SUIS À TON ENTIÈRE DISPOSITION...

© 1981 United Feature Syndicate, Inc.

TU VAS ME FAIRE TOURNER CHÈVRE, CHUCK ! TU NE COMPRENDS DONC PAS QU'ON N'A PAS BESOIN DE TOI COMME LANCEUR ? !

3-28

ON VEUT QUE TU VENDES DU POP-CORN ! ! !

SI JE LANÇAIS, JE NE BALANCERAIS QUE DES BALLES COURBES AU SUIVANT !

PEANUTS TRÈS BIEN, CHUCK... TU M'AS HARCELÉE POUR QUE JE TE LAISSE LANCER... VOYONS UN PEU CE QUE TU SAIS FAIRE...

C'EST LE DERNIER DU NEUVIÈME INNING, DEUX FRAPPEURS ONT ÉTÉ SORTIS ET ON MÈNE PAR CINQUANTE À ZÉRO...

3-30

ON A TELLEMENT D'AVANCE QU'ON NE PEUT PLUS PERDRE... ÉLIMINE LE DERNIER, CHUCK, ... ET C'EST MOI QUI VAIS VENDRE LE POP-CORN !

C'EST LA MINUTE DE VÉRITÉ, CHARLES ! DÉTENDS-TOI !

© 1981 United Feature Syndicate, Inc.

PEANUTS DU CALME, MAINTENANT... BALANCE-LA PAR-DESSUS LE DIAMANT... PLUS QU'UN GARS À SORTIR...

POP-CORN ! POP-CORN ! QUI N'A PAS SON POP-CORN ? ACHETEZ-LE AVANT LA FIN DU MATCH !

3-31

BLONG !

OUPS !

© 1981 United Feature Syndicate, Inc.

"PEANUTS" MARCIE ? QUE S'EST-IL PASSÉ ? OÙ SUIS-JE ?

CHEZ VOUS, MONSIEUR... VOUS AVEZ REÇU UNE BALLE DE BASE-BALL SUR LE CRÂNE... UNE BALLE PERDUE...

© 1981 United Feature Syndicate, Inc. 4-1

CHUCK A LANCÉ UNE BALLE PERDUE ? MAIS NOUS AVONS GAGNÉ, N'EST-CE PAS ? NOUS MENIONS PAR CINQUANTE À ZÉRO...

NOUS AVONS PERDU, MONSIEUR... 51 À 50 !

"PEANUTS" TRÈS BIEN, CHUCK ! QUE S'EST-IL PASSÉ ?

© 1981 United Feature Syndicate, Inc.

ON AVAIT UNE AVANCE DE CINQUANTE RUNS QUAND J'AI QUITTÉ LA PARTIE ! COMMENT AS-TU PU BOUSILLER UN TEL SCORE ?

4-2

DEUX TYPES ÉTAIENT SORTIS AU NEUVIÈME INNING ! EXPLIQUE-TOI, CHUCK ! QU'EST-IL ARRIVÉ ?

NAVRÉ, MAIS MONSIEUR BROWN EST ABSENT... LAISSEZ-NOUS VOTRE NUMÉRO DE TÉLÉPHONE ET IL ESSAIERA DE VOUS RAPPELER L'AN PROCHAIN...

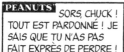

SORS, CHUCK ! TOUT EST PARDONNÉ ! JE SAIS QUE TU N'AS PAS FAIT EXPRÈS DE PERDRE !

SORS, CHUCK ! JE NE TE FRAPPERAI PAS ! JE NE SUIS PLUS FÂCHÉE... JE TE PARDONNE ! JE NE T'EN VEUX VRAIMENT PLUS...

TU AS RAISON, CHUCK ! JE MENS ! !

QUE TE DIRE ? QUE QUAND ON CHANTE SOUS LA PLUIE, ON BOIT FORCÉMENT LA TASSE ?

PEANUTS JE VIENS DE PARLER À UN ÉPHÉMÈRE...

SAVAIS-TU QUE CERTAINS NE VIVENT QUE VINGT-QUATRE HEURES ?

4-6 © 1981 United Feature Syndicate, Inc.

IL M'A DIT QU'IL NE REGRETTAIT QU'UNE CHOSE...

« DE N'AVOIR PAS SU À NEUF HEURES TOUT CE QUE LA VIE LUI A ENSEIGNÉ DEPUIS. »

SCHULZ

PEANUTS VOUS ALLEZ ÊTRE FIER DE MOI, MONSIEUR... JE ME SUIS ENTRAÎNÉE AU PATIN À GLACE.

IL Y A UNE GRANDE PATINOIRE À L'AUTRE BOUT DE LA VILLE, AVEC UNE PISTE ÉNORME ET UNE JOLIE CAFÉTÉRIA.

2-8

QU'EST-IL ARRIVÉ À TON BRAS ?

© 1984 United Feature Syndicate, Inc.

JE SUIS TOMBÉE DANS LA CAFÉTÉRIA !

SCHULZ

177

PEANUTS

JE NE VAIS PAS M'EMBÊTER POUR LA SAINT-VALENTIN CETTE ANNÉE...

DE TOUTE FAÇON, JE NE REÇOIS JAMAIS DE CARTES... ALORS POURQUOI SE RONGER LES SANGS ?

2-9

D'UN AUTRE CÔTÉ, SI QUELQU'UN M'ENVOYAIT UNE CARTE, J'AIMERAIS ÊTRE LÀ LORSQU'ELLE ARRIVERA...

© 1984 United Feature Syndicate, Inc.

PEANUTS JE N'ACHÈTERAI PAS DE CARTES DE LA SAINT-VALENTIN CETTE ANNÉE...

JE VAIS LES FABRIQUER MOI-MÊME...

2-10

MON AMOUR

À QUI TU LES ENVOIES ? À DES GENS QUE TU DÉTESTES ?

PEANUTS JE VEUX DESSINER UN CŒUR SUR CETTE CARTE, MAIS JE NE SAIS PAS COMMENT M'Y PRENDRE...

DESSINE LA MOITIÉ D'UN CŒUR...

ET PLIE LA CARTE AVANT QUE L'ENCRE AIT SÉCHÉ...

PEANUTS ON A UNE VOITURE QUI TE PARLE QUAND TU OUBLIES D'ATTACHER TA CEINTURE...

MON PAPA A UN APPAREIL PHOTO QUI TE PARLE QUAND LA LUMIÈRE N'EST PAS SUFFISANTE.

NOUS, C'EST NOTRE BOÎTE AUX LETTRES QUI NOUS PARLE QUAND ON NE REÇOIT PAS DE CARTES DE LA SAINT-VALENTIN.

"DÉSOLÉ, PETIT... C'EST LA VIE !"

"PEANUTS"

ZUT !

C'EST TRISTE DE NE JAMAIS RECEVOIR DE CARTES !

IL N'Y A QU'UNE CHOSE QUI SOIT PIRE...

2-14

SE COINCER LA TÊTE DANS LA BOÎTE AUX LETTRES !

"PEANUTS" DEVINE QUOI, CHARLES... J'AI EU UN "A" À TOUTES LES MATIÈRES DANS MON BULLETIN TRIMESTRIEL.

© 1984 United Feature Syndicate, Inc.   6-14

PEPPERMINT PATTY A ÉTÉ NULLE PARTOUT... POURTANT, SON PÈRE L'EMMÈNE EN VOYAGE EN EUROPE...

TU SAIS OÙ JE VAIS, MOI ? NULLE PART !

CHAQUE FOIS QUE J'ESSAIE DE COMPRENDRE, LA TÊTE ME TOURNE !

180

"PEANUTS"

ÉCOUTE, CHARLES... J'AI REÇU UNE CARTE DE PATTY... ELLE EST À PARIS...

Chère Marcie,
Le voyage était très amusant. Notre hôtel est très agréable.

6-15

Je fais de gros progrès en français.

© 1984 United Feature Syndicate, Inc.

BONJOUR, KID !

"PEANUTS"

VOICI LE CHIRURGIEN DE RENOMMÉE MONDIALE SUR LE CHEMIN DE LA SALLE D'OPÉRATION...

6-16

VOYONS... DOIS-JE SUBIR OU PRATIQUER UNE INTERVENTION AUJOURD'HUI ? J'AI DÛ NOTER ÇA QUELQUE PART...

AH, OUI... "PRATIQUER UNE INTERVENTION".

© 1984 United Feature Syndicate, Inc.

QUEL SOULAGEMENT !

'PEANUTS'

Cher Chuck,
Ouais, ta vieille
copine Patty est
bien à Paris.

6-18

Montre à Snoopy
cette photo de moi
en train de boire un
soda à une terrasse
de café.

JE RECONNAIS CET
ÉTABLISSEMENT... J'Y SUIS
PASSÉ EN 1918 !

© 1984 United Feature Syndicate, Inc.

'PEANUTS' EN TANT QUE
PRÉSIDENT DU CACTUS CLUB
LOCAL, J'AI LE PLAISIR DE VOUS
SOUHAITER LA BIENVENUE
À NOTRE TOUT PREMIER BAL
DES CÉLIBATAIRES...

© 1984 United Feature Syndicate, Inc.

6-19

J'AIMERAIS VOUS REMERCIER
D'ÊTRE VENUS... C'EST TRÈS
SYMPA DE POUVOIR FAIRE
CONNAISSANCE...

SCHULZ

PEANUTS

Chère Marcie,
Voici une photo de moi
à Paris, avec la tour
Eiffel à l'arrière-plan.

Je ne me souviens
pas avoir étudié la
tour Eiffel à l'école.
Et toi ?
Baisers, Patty.

ELLE NE S'EN
SOUVIENT PAS PARCE
QU'ELLE DORMAIT !

6-20   © 1984 United Feature Syndicate, Inc.

PEANUTS LA RÉUNION
DE NOTRE CACTUS CLUB
LOCAL EST OUVERTE...

© 1984 United Feature Syndicate, Inc.

ÉCOUTONS À PRÉSENT LE
RAPPORT DE NOTRE TRÉSORIER.

NOUS N'AVONS PAS UN
SOU... NOUS N'AVONS
JAMAIS EU UN SOU ET
NOUS N'EN AURONS
JAMAIS UN !

J'AI TOUJOURS DÉTESTÉ LE
RAPPORT DU TRÉSORIER...

SCHULZ   6-21

183

PEANUTS

VOUS VOULEZ FAIRE UNE FÊTE CHEZ MOI ? EUH, J'EN SAIS RIEN... CE N'EST PAS TRÈS CHIC...

IL N'Y A PAS DE QUOI FOUETTER UN CHAT...

SLASH!

© 1984 United Feature Syndicate, Inc. 6-22

C'EST JUSTE UNE EXPRESSION, CRÉTIN DE CHAT !

PEANUTS

ET MAINTENANT PETIT INTERLUDE.

6-23 © 1984 United Feature Syndicate, Inc.

NOTRE FILM VA REPRENDRE APRÈS QUELQUES MESSAGES PERSONNELS...

VOILÀ QUI CONCLUT LES MATCHS DE LA DEMI-FINALE...

VOUS POURREZ VOIR LA FINALE DEMAIN, ICI MÊME.

CERTAINEMENT PAS... JE DOIS ALLER CHEZ MA GRAND-MÈRE...

CE PRÉSENTATEUR N'EST AU COURANT DE RIEN !

PEANUTS *Cher Chuck,
Voici une photo de moi
devant un blockhaus de
la Seconde Guerre
mondiale, près
d'Honfleur.*

*J'apprends plein
de choses et mon
français s'améliore
de jour en jour.*

6-27

AU REVOIR, KID !

PEANUTS IL PARAÎT
QUE TON GRAND-PÈRE A
PRIS SA RETRAITE...

12-21

QUE FAIT-IL DE
SES JOURNÉES ?

OH, IL S'OCCUPE...

IL PASSE SON TEMPS
À CHERCHER LES OBJETS
QU'IL A MAL RANGÉS...

'PEANUTS' TU VOIS CES CAHIERS DE COLORIAGE ? ÉCOUTE !

© 1985 United Feature Syndicate, Inc.

JE N'AI PAS LE TEMPS DE COLORIER MOI-MÊME TOUTES LES IMAGES ! TU COMPRENDS ?

CE QUE J'AIMERAIS, C'EST QUE TU FEUILLETTES CHAQUE CAHIER ET QUE TU COLORIES TOUS LES CIELS EN BLEU... AINSI, JE N'AURAI PAS À LE FAIRE...

MON RÊVE DEPUIS TOUT PETIT... DEVENIR ASSISTANT EN COLORIAGES !

12-23

'PEANUTS' PSST, GRAND FRÈRE... ÇA M'ENNUIE DE TE RÉVEILLER PENDANT LA NUIT DE NOËL, MAIS JE VOUDRAIS TON AVIS...

© 1985 United Feature Syndicate, Inc. 12-24

J'ÉTAIS PROFONDÉMENT ENDORMIE QUAND, BRUSQUEMENT, J'AI EU LA VISION DE ROUDOUDOUS DANSANT DANS MA TÊTE !

C'EST QUOI, DES ROU-DOUDOUS ?

DES ESPÈCES DE BONBONS RONDS...

OUF ! J'AVAIS PEUR D'AVOIR DÉLIRÉ !

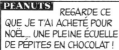

PEANUTS REGARDE CE QUE JE T'AI ACHETÉ POUR NOËL... UNE PLEINE ÉCUELLE DE PÉPITES EN CHOCOLAT !

WOUAH !

J'ESPÈRE QUE TU NE MANGERAS PAS TOUT D'UN COUP...

QU'EST-CE QU'IL A DIT ?

12-25

© 1985 United Feature Syndicate, Inc.

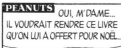

PEANUTS OUI, M'DAME... IL VOUDRAIT RENDRE CE LIVRE QU'ON LUI A OFFERT POUR NOËL...

IL NE L'AIME PAS PARCE QUE LE HÉROS EST UN CHAT...

IL DÉTESTE LES CHATS.

BEURK !

12-26

© 1985 United Feature Syndicate, Inc.

IL VOUDRAIT UN LIVRE OÙ TOUS LES CHATS SE FONT DÉVORER PAR UN ALLIGATOR DÈS LA PREMIÈRE PAGE !

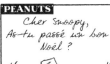

PEANUTS

Cher Snoopy,
As-tu passé un bon
Noël ?

12-27 © 1985 United Feature Syndicate, Inc.

Je me suis offert
un objet dont je
rêve depuis toujours.

Mais je dois
reconnaître qu'il
n'est guère pratique
là où je vis.

SCHULZ

PEANUTS

Chère Grand-mère,
Merci pour les beaux
cadeaux de Noël.

© 1985 United Feature Syndicate, Inc.

Tout le monde
dans la famille
les a aimés.

Même mon chien.

12-28

Il te remercie pour
le pull à col terrier.

SCHULZ

PEANUTS ILS ONT CES MACHINS AVEC DES PETITS CARRÉS ET DES CHIFFRES INSCRITS DEDANS...

ÇA LEUR SERT À CONNAÎTRE LE JOUR, LE MOIS, L'ANNÉE ET AINSI DE SUITE...

C'EST AINSI QU'ILS SAVENT QU'UNE ANNÉE S'EST ÉCOULÉE ET QU'UNE AUTRE COMMENCE...

© 1985 United Feature Syndicate, Inc.

| | | | ?

T'AS RAISON... QUI ÇA INTÉRESSE ?

PEANUTS 12-31

VOICI LA BOÎTE DE COTILLONS QUE TU M'AS DEMANDÉE...

JE TE SOUHAITE DE BIEN T'AMUSER CE SOIR.

J'EN SUIS DÉJÀ PERSUADÉ...

BOUTE-EN-TRAIN, C'EST TOUT UN ART...

PEANUTS

TU TE SENS DIFFÉRENTE DE L'ANNÉE DERNIÈRE ?

TU AS L'IMPRESSION D'AVOIR VRAIMENT CHANGÉ ?

© 1985 United Feature Syndicate, Inc.

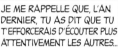

JE ME RAPPELLE QUE, L'AN DERNIER, TU AS DIT QUE TU T'EFFORCERAIS D'ÉCOUTER PLUS ATTENTIVEMENT LES AUTRES...

1-1-86

HEIN ?

PEANUTS

LA RÉUNION DU CLUB DE LUGE VA S'OUVRIR...

COMME VOUS LE SAVEZ, C'EST AUJOURD'HUI NOTRE GRANDE NUIT DE LA LUGE... NOUS AURIONS BESOIN D'UN VOLONTAIRE POUR APPORTER UN RAGOÛT DE THON...

1-2-86

PARFAIT... RETROUVONS-NOUS DONC TOUS CE SOIR...

© 1985 United Feature Syndicate, Inc.

DIFFICILE DE SE SENTIR PLUS RIDICULE QUE LORSQU'ON EST ASSIS TOUT SEUL SUR UNE LUGE AU BEAU MILIEU DU DÉSERT EN BRANDISSANT UNE MARMITE DE RAGOÛT DE THON !

PEANUTS

Très chère,

Tu me manques un peu plus chaque jour. Je ne trouve pas les mots pour t'exprimer mon amour.

1-3-86

TRÈS JOLI. MAIS À QUI ÉCRIS-TU ?

JE POURRAI TOUJOURS REMPLIR LE BLANC PLUS TARD...

PEANUTS

OH, NON !

1-4-86

JE DÉTESTE QUE DES...

© 1985 United Feature Syndicate, Inc.

... AMARANTES SE GLISSENT DANS MON SAC DE COUCHAGE !

192

2-10

COURRIER

FLOP !

COURRIER

"CHER COLLABORATEUR, MERCI DE NOUS AVOIR SOUMIS VOTRE CARTE DE LA SAINT-VALENTIN, MAIS ELLE NE CORRESPOND PAS À NOS BESOINS ACTUELS."

MON EXPOSÉ ? OUI, M'DAME, IL EST PRÊT...

LE SUJET EN EST...

CERF-VOLANT ? QUEL CERF-VOLANT ? OH, CELUI-CI... OUI, M'DAME...

EH BIEN, ON S'EST POUR AINSI DIRE EMMÊLES IL Y A TROIS JOURS ET JE N'ARRIVE PAS À M'EN DÉBARRASSER, DE SORTE QUE J'APPRENDS PLUS OU MOINS À VIVRE AVEC ET...

JE ME DEMANDE POURQUOI LES PROFS SOUPIRENT TANT...

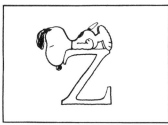

7-5 © 1981 United Feature Syndicate, Inc.

COMMENT SE VENGE-
T-ON D'UN OCÉAN ?

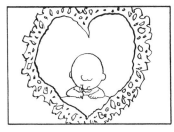

TIENS...

C'EST QUOI ?

UNE CARTE DE LA SAINT-VALENTIN POUR LA PETITE FILLE ROUSSE... JE VOUDRAIS QUE TU LA LISES...

POUR QUOI FAIRE ?

PARCE QUE J'ÉTAIS TRÈS FÉBRILE QUAND JE L'AI ÉCRITE... JE VEUX M'ASSURER QUE JE N'AI PAS ÉCRIT DE BÊTISES...

EH BIEN, ÇA ME SEMBLE PARFAIT, CHARLIE BROWN... TU AS DESSINÉ UN BEAU CŒUR, ÉCRIT "BONNE SAINT-VALENTIN" ET TU L'AS TRÈS JOLIMENT SIGNÉE...

ET LE NOM SUR L'ENVELOPPE ?

PAS DE PROBLÈME... UNE SECONDE... QU'EST-CE QUI EST ÉCRIT AU DOS ?

JE SAIS PAS... J'ÉTAIS SI NERVEUX... J'AI OUBLIÉ...

TU VAS SANS DOUTE VOULOIR RAYER ÇA...

2-14

"NE PAS OUVRIR AVANT NOËL."

Comment je t'aime ?

TU AS ÉCRIT UN POÈME POUR HARRIET ? CHARMANT... LIS-LE-MOI...

TRÈS TOUCHANT.

JE SUIS SÛR QU'ELLE VA BEAUCOUP L'AIMER.

JE NE LUI AI PAS DIT QUE " " NE RIMAIT PAS AVEC " "

200

"Puis apparut sur scène le seul homme de ma connaissance... qui fût dépourvu de la moindre vertu rédemptrice, à part le courage."

"Beau Geste"

ET TÂCHEZ D'OUVRIR L'ŒIL !

VOICI LE CÉLÈBRE SERGENT-MAJOR DE LA LÉGION ÉTRANGÈRE, GARDANT FORT ZINDERNEUF AVEC UNE POIGNÉE DE MISÉRABLES BLEUS.

QUE SE PASSE-T-IL ? DANS LE LOINTAIN ? DU MOUVEMENT !

PRÉPAREZ-VOUS, SOLDATS... L'ENNEMI ARRIVE !

C'EST ÇA, LES GARS ! BOTTEZ-LUI LES TIBIAS ! PIÉTINEZ-LUI LES PIEDS ! ALLEZ !

ET QU'ON NE TE REVOIE PLUS JAMAIS PRÈS DE FORT ZINDERNEUF !

SINON, TU AURAS DROIT AU MÊME TRAITEMENT ! JE T'EN DONNE MA PAROLE !!

9-19

SALUT, CHARLIE BROWN... JE SUIS JUSTE VENU TE RENDRE TON LIVRE... PAS LE TEMPS DE RESTER...

TU ES SÛR DE N'AVOIR BESOIN DE RIEN ?

DIS-MOI JUSTE COMMENT RENTRER CHEZ MOI SANS PASSER PAR FORT ZINDERNEUF...

202

À QUOI PENSES-TU, CHARLIE BROWN ?

JE ME TROMPE, OU LES ARBRES ÉTAIENT PLUS NOMBREUX AVANT ?

IL PARAÎT QU'À L'ARRIVÉE DES COLONS DANS CETTE CONTRÉE, UN ÉCUREUIL POUVAIT VOYAGER D'ARBRE EN ARBRE DE L'ATLANTIQUE AU MISSISSIPPI SANS JAMAIS TOUCHER LE SOL...

3-20

BONG !
BONG !

SOIT ÇA REMONTE À TRÈS LOIN, SOIT C'ÉTAIT UN SACRÉ ÉCUREUIL !

203

D — G

BÂÂÂILLE

EH, FRANKLIN, TU AS LU LES CHAPITRES SUR L'ENCÉPHALE DROIT ET L'ENCÉPHALE GAUCHE ?

JE SUIS UNE DOMINANTE "ENCÉPHALE GAUCHE"... JE PRIVILÉGIE L'ANALYSE ET J'AIME TOUT CE QUI EST NOMBRES ET SYMBOLES...

Z

JE DOIS ÊTRE UN DOMINANT "ENCÉPHALE DROIT".

Z

© 1984 United Feature Syndicate, Inc.

JE SUIS TRÈS DOUÉ POUR LES PUZZLES, J'AIME LA MUSIQUE ET JE CROIS AVOIR PAS MAL D'IMAGINATION...

Z

3-11

ET LÀ, BIEN SÛR, NOUS SOMMES EN PRÉSENCE D'UNE "ACÉPHALE"...

Z

J'AI ENTENDU !

SCHULZ

OUI, M'DAME, JE SUIS VENU À L'ÉCOLE À PIED SOUS LA PLUIE... J'AI DÛ M'ABRITER LA TÊTE SOUS MON CLASSEUR...

5-6

© 1984 United Feature Syndicate, Inc.

MON EXPOSÉ ? EH BIEN, IL EST DANS MON CLASSEUR ET JE CROIS QUE MON CLASSEUR A ROUILLÉ ET S'EST SOUDÉ À MON CRÂNE...

JE VAIS POSER TOUT LE MACHIN SUR VOTRE BUREAU ET VOUS RÉUSSIREZ PEUT-ÊTRE À JETER UN COUP D'ŒIL PAR LES INTERSTICES...

VOUS DEVRIEZ VOUS PRESSER, M'DAME... JE CROIS QUE JE GLISSE...

KLONG!

C'EST MIGNON TOUT PLEIN, M'DAME... ON DIRAIT UN JEUNE CHIOT QUAND VOUS GEIGNEZ COMME ÇA...

205

FAITES QU'ELLE NE M'INTERROGE PAS ! FAITES QU'ELLE NE M'INTERROGE PAS.

OUI, M'DAME ?

MON EXPOSÉ ? NON, M'DAME, IL N'EST PAS PRÊT...

6-3

VOYEZ-VOUS, MON CLASSEUR EST À TROIS TROUS...

LES FEUILLES LIBRES QUE J'AI ACHETÉES PAR ERREUR N'EN PRÉSENTENT QUE DEUX...

QUOI QU'IL EN SOIT, J'AI PASSÉ LA NUIT DERNIÈRE À PERCER TROIS NOUVEAUX TROUS DANS CHAQUE FEUILLE POUR LES FAIRE TENIR DANS MON CLASSEUR.

LE PLUS DUR, ÇA A ÉTÉ DE DÉCOUPER DE PETITS CONFETTIS POUR LES RECOLLER SUR LES ANCIENS TROUS...

NE SOUPIREZ PAS SI FORT, MADAME... VOUS ALLEZ VOUS RIDER LE FRONT...

QU'EN PENSES-TU ?

C'EST UNE CARTE DE LA SAINT-VALENTIN QUE J'AI ACHETÉE POUR LA PETITE FILLE ROUSSE...

JE VAIS ALLER LA LUI REMETTRE EN MAIN PROPRE, MAIS JE SUIS TROP NERVEUX, JE CROIS, POUR FAIRE ÇA SANS M'ÊTRE ENTRAÎNÉ AVANT...

JE VAIS SORTIR ET SONNER... TU FERAS SEMBLANT D'ÊTRE LA PETITE FILLE ROUSSE. D'ACCORD ?

2-10

DRING!

207

SOUPIR

IL Y A BIEN LE TÉLÉPHONE... JE DONNERAIS N'IMPORTE QUOI POUR AVOIR LE COURAGE D'APPELER CETTE PETITE FILLE ROUSSE...

POURQUOI NE LE FAIS-TU PAS ?

PARCE QUE J'IGNORE SI ELLE A ENVIE DE ME PARLER...

C'EST GROTESQUE, CHARLIE BROWN... ON LA VOIT TOUS LES JOURS À L'ÉCOLE... ELLE EST TRÈS GENTILLE...

ELLE TE PARLERA... J'EN SUIS SÛR...

J'EN DOUTE... JE VAIS ME COUVRIR DE RIDICULE...

12-1

VAS-Y... FAIS-LE ! APPELLE-LA !

D'ACCORD. MAIS JE PARIE QU'ELLE NE ME DONNERA MÊME PAS L'HEURE...

ALORS... ?

ELLE A DIT QU'IL ÉTAIT 4 H !

AND I DID IT MY WAY!

EXACTEMENT !

LE JOUR DE HALLOWEEN, LA GRANDE CITROUILLE S'ÉLÈVE AU-DESSUS DU CARRÉ DE CITROUILLES ET VOLE À TRAVERS LES AIRS, AVEC DES JOUETS POUR TOUS LES ENFANTS DU MONDE !

JE TE CROIS.

ET TU SAIS CE QUI SE PASSE LE JOUR DES SECRÉTAIRES ?

LA GRANDE SECRÉTAIRE SE LÈVE DE SON BUREAU ET TRAVERSE LA VILLE EN TAXI POUR DISTRIBUER DES CALEPINS À TOUTES LES SECRÉTAIRES !

ET LE JOUR DES GRANDS-PARENTS, LA GRANDE ARRIÈRE-GRAND-MÈRE SORT DE SA MAISON DE RETRAITE AVEC DES GÂTEAUX POUR TOUS LES PETITS-ENFANTS DU MONDE !

HA HA HA HA !

10-26

© 1986 United Feature Syndicate, Inc.

ATTENDS ! LAISSE-MOI TE PARLER DE LA FÊTE DES BELLES-MÈRES ! OÙ EST-IL PASSÉ ?

209

PEANUTS

by

CHARLES M. SCHULZ

Les années quatre-vingt dix

PEANUTS J'AI BESOIN DE TES CONSEILS, CHARLIE BROWN...

QUAND LE PÈRE NOËL M'APPORTERA MON CHIEN, IL FAUDRA QUE J'APPRENNE À PRENDRE SOIN DE LUI...

PEUT-ÊTRE QUE SI TU ME MONTRAIS COMMENT TU LE NOURRIS, OÙ IL COUCHE, ET CETERA, ÇA M'AVANCERAIT UN PEU...

QU'EST-CE QUE CE GOSSE FICHE SUR LA PISTE D'ENVOL ?

© 1998 United Feature Syndicate, Inc.

PEANUTS ÉCOUTE... MAMAN NE VEUT PAS QUE TU AIES UN CHIEN, N'EST-CE PAS ?

NON.

TU CROIS VRAIMENT QUE LE PÈRE NOËL T'APPORTERAIT UNE CHOSE DONT MAMAN NE VEUT PAS ?

OOOH ! BLA-BLA-BLA DIGNE DE LA COUR SUPRÊME !

© 1998 United Feature Syndicate, Inc.

'PEANUTS' PARFOIS, QUAND JE ME RÉVEILLE LA NUIT, JE ME DEMANDE SI LA VIE EST UN TEST À CHOIX MULTIPLES OU UN TEST VRAI/FAUX...

PUIS UNE VOIX S'ÉLÈVE DANS LE NOIR ET ME DIT : "NAVRÉ D'AVOIR À TE L'APPRENDRE, MAIS LA VIE EST UN EXPOSÉ EN DIX PAGES."

3-8   SCHULZ

'PEANUTS' JE N'EN CROIS PAS MES OREILLES ! IL VIENT DE DIRE : "C'EST TOUT LE TEMPS QUI NOUS RESTE..." DE QUOI PARLAIT-IL ? J'AI TOUT MON TEMPS !

COMMENT PEUT-IL DIRE "C'EST TOUT LE TEMPS QUI NOUS RESTE" QUAND J'AI TOUTE LA VIE DEVANT MOI ?

TU DEVRAIS PEUT-ÊTRE LUI ÉCRIRE POUR LUI DIRE CE QUE TU RESSENS...

J'AI PAS LE TEMPS...

3-9   SCHULZ

"PEANUTS" ON EST DÉJÀ AU PRINTEMPS ? C'EST POUR ME DEMANDER ÇA QUE TU ES VENU ?

TU AS UN FRÈRE ET UNE SŒUR À LA MAISON... POSE-LEUR LA QUESTION !

3-16

ILS SE METTENT EN COLÈRE QUAND JE POSE DES QUESTIONS STUPIDES. LE PRINTEMPS, C'EST LA SEMAINE PROCHAINE.

© 1999 United Feature Syndicate, Inc.

MERCI DE NE PAS T'ÊTRE MISE EN COLÈRE...

"PEANUTS" TU SAIS, CHARLIE BROWN, LE BASE-BALL EST UN JEU DE RÉFLEXION...

JE SONGEAIS JUSTEMENT QUE LE MONDE SERAIT ENTIÈREMENT DIFFÉRENT SI BEETHOVEN AVAIT ÉPOUSÉ ANTONIE BRENTANO...

MAIS IMAGINE QU'IL AIT ÉPOUSÉ GIULIETTA GUICCARDI ? JE N'ARRIVE PAS À M'EN FAIRE UNE IDÉE.

© 1999 United Feature Syndicate, Inc.

LES ATTRAPEURS ONT TROP DE TEMPS POUR RÉFLÉCHIR...

4-15

216

217

JE SUIS ALLÉ AU SALON DE COIFFURE DE TON PAPA AUJOURD'HUI...

JE NE SAVAIS PAS QU'UNE COUPE DE CHEVEUX POUVAIT FAIRE SOUFFRIR...

CE N'EST PAS DOULOUREUX...

4-21

JE SUIS TOMBÉ DU FAUTEUIL...

TU ES MON FRÈRE AÎNÉ... TU ES CENSÉ ME MONTRER L'EXEMPLE...

EH BIEN, QUE VEUX-TU QUE JE FASSE ?

4-22

MONTRE !

218

PEANUTS LES LOUPS FONT UN RETOUR EN FORCE...

5-3

PLUS DE DÉTAILS AU JT DE ONZE HEURES...

PEANUTS "LES LOUPS FONT UN RETOUR EN FORCE"... C'EST MA NOUVELLE PHILOSOPHIE...

JE NE SUIS PAS SÛR DE LA COMPRENDRE...

PERSONNE NE COMPREND JAMAIS VRAIMENT UNE NOUVELLE PHILOSOPHIE...

"LES LOUPS FONT UN RETOUR EN FORCE."

OUI, C'EST ASSEZ VRAI...

'PEANUTS' GRAND-PAPA AU TÉLÉPHONE... TU VEUX LUI SOUHAITER UN BON ANNIVERSAIRE ?

J'IGNORAIS QUE C'ÉTAIT SON ANNIVERSAIRE...

BON ANNIVERSAIRE, GRAND-PAPA... Y A PAS DE QUOI... BONNE JOURNÉE...

5-14

C'ÉTAIT QUEL GRAND-PAPA ?

'PEANUTS' D'ACCORD ! JE SAIS QUAND ON NE VEUT PAS DE MOI DANS CETTE FAMILLE !

RIEN NE M'OBLIGE À VIVRE ICI, VOUS SAVEZ !

JE PEUX HABITER CHEZ TANTE EDNA...

5-15

... LOÏS, LINDA OU EUNICE... QUEL QUE SOIT SON PRÉNOM !

PUIS-JE TE POSER UNE QUESTION... ?

SAIS-TU CE QUE NOUS FAISONS LÀ ?

J'AI APPRIS LE VERSET DE LA BIBLE QU'ON EST CENSÉ RETENIR PAR CŒUR POUR DIMANCHE...

QUEL VERSET ?

J'EN SAIS RIEN... TU ME L'AS FAIT OUBLIER...

UN TRUC QU'A DIT MOÏSE, JE CROIS, OU BIEN UNE CITATION DU LIVRE DES RÉÉVALUATIONS...

L'OUBLI N'EST PAS FORCÉMENT UNE MAUVAISE CHOSE EN SOI...

PEANUTS COMMENT DÉCIDES-TU SI TU DOIS ABOYER OU NON APRÈS UN PASSANT ?

6-19

WOUF !

PEANUTS EN DES MOMENTS PAREILS, J'AIMERAIS RETOURNER À L'ÉCOLE...

JE COMPRENDS... S'AGIRAIT-IL DE CE DÉSIR EFFRÉNÉ D'APPRENDRE QUI NOUS DÉVORE TOUS ?

NON, J'AI OUBLIÉ SIX BEIGNETS DANS MON PUPITRE...

6-28

ARRÊTEZ DE DIRE QUE ÇA SE COUVRE ! ÇA NE SE COUVRE PAS !

SI ! PAR ICI...

MATCH ANNULÉ POUR CAUSE D'INTEMPÉRIES ! MATCH ANNULÉ ! MATCH ANNULÉ !

ON N'ANNULE PAS UN MATCH POUR UNE PETITE GOUTTE DE PLUIE ! CESSE DE TE CONDUIRE EN IDIOTE !

MATCH ANNULÉ POUR CAUSE DE SENSIBILITÉ FROISSÉE ! CHAMP DROIT OFFENSÉ PAR COACH ! MATCH ANNULÉ POUR CAUSE DE SENSIBILITÉ FROISSÉE !

© 1990 United Feature Syndicate, Inc.

6-24

NON... RIEN DE TEL DANS LE MANUEL... IL PARLE DE LA PLUIE OU DE LA NUIT, MAIS C'EST À PEU PRÈS TOUT...

QUE DITES-VOUS DE ÇA, MADEMOISELLE LE CHAMP DROIT ?

REMARQUE SEXISTE ! MATCH ANNULÉ POUR CAUSE DE REMARQUE SEXISTE !

J'Y CROIS PAS, CHARLIE BROWN ! TU AS CROQUÉ DANS CETTE BALLE !

LES LACETS ONT UN GOÛT AFFREUX...

UNE LETTRE D'AMOUR ! J'AI REÇU UNE LETTRE D'AMOUR !

COMMENT POURRAIT-ELLE T'ÊTRE DESTINÉE PUISQU'ELLE PORTE MON NOM ?

ELLE VIENT DE LINUS... LIS-LA...

Cher Charlie Brown,
notre famille est partie faire un petit voyage. On s'amuse bien.
P.-S. : Dis bonjour à Sally pour moi.

TU VOIS ! IL A ÉCRIT "DIS BONJOUR À SALLY POUR MOI"... SI CE N'EST PAS UNE LETTRE D'AMOUR, JE VOIS MAL CE QUE C'EST !

JE VAIS LA COLLER DANS MON ALBUM DE SOUVENIRS...

1-24

MA PREMIÈRE LETTRE D'AMOUR !

COMME C'EST ROMANTIQUE...

PRESQUE FINI ?

NON, M'DAME ! MON CHIEN N'A PAS MANGÉ MON DEVOIR...

IL L'A ÉCRIT !

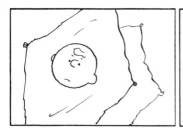

LE JOUR IDÉAL POUR FAIRE VOLER UN CERF-VOLANT !

OUI, MONSIEUR. UN ROUGE...

CERFS-VOLANTS

QUOI ? VOUS VOULEZ RIRE ?

ILS ONT REFUSÉ DE ME VENDRE UN CERF-VOLANT ! ILS ONT DIT QUE JE NE RÉUSSIRAIS QU'À L'EMPÊTRER DANS UN ARBRE...

QUE JE COUVRAIS DE HONTE TOUTE LA DISCIPLINE...

C'EST RIDICULE ! DONNE-MOI TES SOUS... JE VAIS ALLER L'ACHETER POUR TOI...

OUI, MONSIEUR... J'AIMERAIS ACHETER UN CERF-VOLANT ROUGE...

BIEN SÛR QUE C'EST POUR MOI ! QUE CROYEZ-VOUS QUE J'ALLAIS EN FAIRE ? LE DONNER À MON COPAIN CHARLIE BROWN ?!

3-10

TIENS ! JE T'AI ACHETÉ UNE BILLE...

NON !
JE CROIS
QU'IL
ÉCRIT...

Chers amis...

Chers amis,

J'ai eu la chance de dessiner
Charlie Brown et ses amis
pendant près de 50 ans,
réalisant ainsi pleinement toutes
les ambitions de ma jeunesse.
Malheureusement, je ne suis plus
en mesure de soutenir la cadence
exigée d'un strip quotidien.
Ma famille ne souhaitant pas que
les Peanuts soient repris par
un autre que moi, je vous annonce
donc que je prends ma retraite.
Au fil des ans, j'en suis venu à
éprouver une immense gratitude
pour la fidélité de nos éditeurs,
ainsi que pour l'affection et
le soutien merveilleux que m'ont
apportés les fans de cette bande
dessinée.
Charlie Brown, Snoopy, Linus,
Lucy... Comment pourrais-je
jamais les oublier...

2-13-00   Charles M. Schulz

TABLE

Achevé d'imprimer sur rotative
par l'Imprimerie Darantiere à Dijon-Quetigny
en octobre 2003

Dépôt légal : octobre 2003
N° d'impression : 23-1160

Imprimé en France